Pilates

Fácil y rápido para todo momento

Ejercicios fáciles para realizar en casa, en el trabajo
y mientras viajas

Alan Herdman
con Jo Godfrey Wood

Gaia Ediciones

COLECCIÓN CUERPO-MENTE

Los libros de Gaia celebran la visión de Gaia, la Tierra viva y que se autoabastece, y pretenden ayudar a sus lectores a vivir en una mejor armonía personal y planetaria

Edición	Jo Godfrey Wood
Diseño	Phil Gamble
Fotografía	Paul Forrester
Producción	Kate Rogers
Dirección	Patrick Nugent, Joss Pearson
Edición española	Equipo Editorial Gaia (Madrid)
Composición	Versal A. G., S. L. (madrid)

Copyright © 2003 Gaia Books Limited, Londres
Texto Copyright © 2003, Gaia Books
Editado originalmente en el Reino Unido, en 2003, por
Gaia Books Ltd, 66 Charlotte Street, Londres W1T 4QE

Título original: *Pilates. Simple Routines for Home, Work & Travel*
Traducción: *Nora Steinbrum*

Primera edición en lengua española: noviembre de 2003
© Gaia Ediciones, 2003
   Alquimia, 6
   28933 Móstoles (Madrid)
   Tel.: 91 617 08 67
   e-mail: contactos@alfaomega.es - www.alfaomega.es

ISBN: 84-8445-067-8

Este libro está dedicado al difunto Robin Howard y a Robert Cohan, gracias a los cuales he conocido el método Pilates, y también a Robert Fitzgerald, mi primer maestro.

ADVERTENCIA
Este libro no pretende, en modo alguno, reemplazar los cuidados médicos que ofrecen los especialistas cualificados. Antes de embarcarte en cualquier cambio en tu régimen sanitario, consulta a tu médico. Del mismo modo, aunque el método Pilates es una terapia extremadamente segura si las llevas a cabo de forma correcta, si te surgiera alguna duda en cuanto a una condición médica en particular, no dejes de consultar a un profesional.

Índice

Acerca de Joseph Pilates

El régimen Pilates de ejercicios fue creado por el alemán Joseph Pilates (1880-1967), quien padeció de una mala salud durante su infancia y, en consecuencia, se esforzó por superar su fragilidad a través de la gimnasia. A los catorce años ya había logrado desarrollar un físico perfecto, y trabajó como modelo para diversas láminas de anatomía. Durante la Primera Guerra Mundial, se trasladó a Inglaterra, donde trabajó como enfermero y comprobó que muchos pacientes necesitaban terapia física. Ello le llevó a concebir dispositivos para ayudar a aquellos enfermos que no podían levantarse de la cama, y con ellos observó que esos pacientes mejoraban mucho más rápidamente que los demás.

Después de trasladarse a Alemania al finalizar la guerra, Pilates siguió trabajando en su régimen de preparación física y conoció a Rudolf von Laban, creador del sistema de notación para la danza más utilizado. Éste, atraído por los ejercicios de Pilates, comenzó a incluirlos en sus clases. En 1926, Pilates se trasladó a Estados Unidos e instaló su primer estudio en Nueva York, que se hizo muy popular entre los bailarines e interesó particularmente a leyendas tales como Martha Graham y George Balanchine. Cuando Pilates murió, su método continuaba siendo popular únicamente en la comunidad de la danza, pero desde entonces ha conseguido una audiencia muy superior. Como el mismo Pilates decía, sus innovaciones llevaban «cincuenta años de adelanto» en relación con su época.

ACERCA DE ALAN HERDMAN

Alan Herdman es profesor de danza-drama y, a pesar de que proviene de la escuela de Laban, también ha estudiado la técnica Graham en la Escuela de Danza Contemporánea de Londres y la técnica Pilates en Nueva York. Introdujo el método Pilates en el Reino Unido en 1970 y allí ha establecido varios estudios, además de en muchos otros países. Imparte clases a bailarines profesionales, cantantes, actores y a todos aquellos que desean mejorar su salud. Su primer libro, *Pilates: cómo crear el cuerpo que deseas,* es un número uno en ventas en todo el mundo.

Introducción

Todos llevamos una vida cada vez más agitada y, a pesar de que esto puede resultar estimulante, energizante y satisfactorio, en ocasiones nos sentimos sobrecargados, estresados en exceso y, literalmente, agotados. A veces llegamos a sentirnos exhaustos antes de que haya comenzado el día. Una de las causas de nuestra sensación general de malestar y tensión proviene de las actividades físicas que exigimos a nuestro cuerpo. Por ejemplo, un trabajo de oficina donde reina la presión puede necesitar de muchas horas frente a la pantalla de un ordenador o, en otro orden, el cuidado de un bebé puede suponer levantar y cargar un importante peso de forma constante.

Mientras procures descansar del trabajo de informático y aprendas a levantar de forma segura a un bebé pesado, el método Pilates te ayudará a que tomes más conciencia de tu cuerpo y a fortalecerlo. Con un cuerpo fuerte puedes disfrutar de las exigencias físicas que plantean las tareas cotidianas. Sin embargo, los beneficios del método Pilates no son sólo físicos: a medida que tu cuerpo se fortalece y adquiere mayor flexibilidad, lo mismo le sucederá a tu mente. Te resultará más sencillo afrontar las presiones diarias, tu concentración mejorará y serás capaz de relajarte con facilidad. En resumen, practicar los ejercicios Pilates de forma regular mejorará tu calidad de vida.

LA HISTORIA DEL MÉTODO PILATES

El régimen de ejercicios Pilates abarca una gran variedad de actividades físicas, algunas de las cuales, en la actualidad, presentan significativas variantes en relación con el método creado originalmente por Joseph Pilates. Una clara relación de sus intenciones originales ha quedado documentada en su renombrado clásico, el libro *Regreso a la vida*. En él, Pilates expresa su opinión acerca de la vida moderna y manifiesta la necesidad de crear una armoniosa sintonía entre la existencia del individuo y su cuerpo. Analiza la forma de vida contemporánea, y señala la importancia de contar con un cuerpo bien equilibrado; además, explica los efectos del ejercicio sobre la sangre y la circulación, y sugiere hábitos y rutinas diarios en relación con la dieta, la respiración, el sueño y el baño.

Desde estos principios básicos, Pilates creó la *Contrología* (que con el paso del tiempo fue conocida simplemente como *Pilates)* y describió su régimen como «la completa coordinación del cuerpo, la mente y el espíritu».

Pilates enseñaba que una proporcionada relación entre el aire fresco, el sueño y una dieta equilibrada era de vital importancia para todos, y percibió que la vida moderna resultaría contraproducente para alcanzar una óptima salud. Describió al adulto medio como un individuo con el cuerpo doblado, los hombros encorvados, los ojos hundidos y los músculos flácidos, y manifestó que las trampas de la civilización moderna, como los teléfonos, los coches y las presiones económicas, contribuían a extender la tensión nerviosa y la mala salud. Ése fue el motivo por el que creó la Contrología: para compensar tan negativos efectos.

Pilates concibió su régimen con el fin de abarcar diversos elementos y estudió el organismo, a nivel neuromuscular, para unir la mente y el cuerpo, pensando en la Contrología como el sistema que permitiría a la persona controlar sus propios músculos. Exploró incluso el desarrollo muscular, centrándose en la flexibilidad, así como en la fuerza. El resultado de la práctica de la Contrología sería «despertar tu lenta circulación con el fin de que entre en acción y lleve a cabo su tarea de forma más efectiva, es decir, que descargue a través del torrente sanguíneo la acumulación de productos derivados de la fatiga que generan las actividades mentales y musculares. Tu cerebro se aclara y tu voluntad funciona» (Pilates, 1945). Pilates percibió que su técnica era mucho más que un sistema de ejercicios y, por ese motivo, describió la Contrología como un proceso de «recuperación del dominio mental sobre el completo control corporal», lo cual deriva en una mejor autoestima y una elevada confianza en uno mismo.

CÓMO USAR ESTE LIBRO

Desde que este sistema fuera creado por Joseph Pilates ha crecido en popularidad, al punto que en la actualidad es una de las técnicas de ejercitación mental-corporal más practicadas en todo el mundo. Este libro ofrece un completo espectro de técnicas Pilates para que se adapten a tus ocupaciones, tanto si debes trasladarte a tu lugar de trabajo todos los días como si pasas la jornada en tu casa; además, cubre la totalidad de las actividades físicas con las que probablemente te encuentras desde que te levantas por la mañana hasta que cierras los ojos por la noche. Considéralo tanto una rápida referencia manual como una guía sobre un particular estilo de vida. Si lo deseas puedes sumergirte en él rápidamente, o bien utilizarlo de forma más sistemática para conseguir una forma de vida saludable que saque el mejor partido posible de las actividades físicas que llevas a cabo. Si compruebas que cuentas sólo con unos pocos minutos libres, úsalos para probar un nuevo ejercicio. Aprovecha estos «momentos robados» al máximo. A medida que pase el tiempo, tomarás cada vez más conciencia de tu cuerpo; y nos referimos a tu cuerpo completo, no simplemente a algunas de sus partes. Te sorprenderá descubrir que comienzas a entablar una «conversación» con él en cuanto empieces a conectarlo con tu mente.

Es posible que ya hayas asistido a sesiones de Pilates que comprendían una mezcla de ejercicios de suelo o realizados en aparatos. Pero si no es tu caso, puedes aprender las técnicas siguiendo las instrucciones que aquí te detallamos. Este libro te enseña a incorporar el método Pilates a tu vida, independientemente de lo que estés haciendo y sin la necesidad de ningún equipamiento en particular. Tampoco tienes que vestir ropas especiales. En poco tiempo descubrirás que, practicando algunos rápidos y sencillos ejercicios Pilates, fácilmente consigues aliviar, por ejemplo, las tensiones causadas por permanecer sentada o de pie durante demasiado tiempo, o por levantar mucho peso, o por viajar en condiciones de gran incomodidad.

El capítulo uno, «Presentación del régimen Pilates», explica el funcionamiento de este sistema de ejercicios y cómo iniciarse en él, mostrando el trabajo de los principales músculos y la importancia de una buena postura. También te ofrece una teoría básica sobre el tema y una sección específica sobre el calentamiento para todas las clases de ejercicios, además de consejos generales para llevar un apropiado estilo de vida. El capítulo dos, «Comenzar el día con Pilates», te demuestra que estos ejercicios pueden hacerte comenzar bien la jornada, en tanto que el capítulo tres, «Viajar con Pilates», te ayudará a que cualquier viaje resulte lo más cómodo y seguro posible, ya se trate de un breve paseo a pie o de un prolongado viaje en avión. El capítulo cuatro, «Pilates en el trabajo», te guía para aprovechar al máximo tu jornada laboral, independientemente de que se desarrolle en tu propia casa o en una oficina. El capítulo cinco, «Relajación con Pilates», te ayudará a dejar atrás hasta el día más estresante. Y el capítulo seis, «Pilates para el embarazo», propone ejercicios para que los meses del embarazo resulten más seguros y cómodos.

Alan Herdman

CAPÍTULO UNO

Presentación del régimen Pilates

Pilates es un suave ejercicio «para pensar» que contribuye a que tu mente y tu cuerpo trabajen en armonía, y produce un cuerpo sano, tonificado y con gran movilidad, además de una mente tranquila y relajada. Pilates es un método de ejercicios no aeróbicos que utiliza la postura y la respiración como elementos clave, y que apunta a elongar y fortalecer los principales músculos del cuerpo.

Muchas clases de deportes y regímenes de ejercicios se basan en los músculos más grandes y poderosos para resultar efectivos; en consecuencia, los tonifican y fortalecen. Con frecuencia hemos oído la frase: «Si quieres holgura, sufre amargura», y nos hemos acostumbrado a la idea de que el ejercicio serio debe dejarnos, hasta cierto punto, la sensación de sufrimiento antes de que podamos esperar algún beneficio de él. Como resultado de este estilo de ejercicios (aeróbicos), los músculos más pequeños han dejado de ser utilizados con frecuencia y, en comparación, se han debilitado. Sin embargo, en Pilates esta musculatura «menor» es tan importantes como la otra y, con el paso del tiempo, la rutina de ejercicios consigue que los músculos «menores» se vuelvan más fuertes mientras los «mayores» incrementan su tono y se vuelven más blandos. Tu sistema muscular, en consecuencia, se convierte en un todo integrado, equilibrado y en perfecta armonía.

Con el fin de descubrir estos grupos de músculos más pequeños, primero necesitas aprender a localizarlos y después, a utilizarlos. Para ello necesitarás un poco de firmeza y concentración, y por eso suele decirse que Pilates es un ejercicio «para pensar». Debido a que, en efecto, tienes que pensar, tu mente y tu cuerpo se ven obligados a trabajar al unísono y este efecto es el que te conduce a la sensación de totalidad, calma y paz interior que gradualmente mejorará la calidad de tu vida diaria y te permitirá hacer frente a sus desafíos con renovados bríos.

Este primer capítulo te explica cuáles son los músculos que necesitas conocer para practicar Pilates y te enseña a valorar tu postura antes de comenzar. Luego describe los ocho principios vitales del Pilates, detalla cómo entrar en calor de forma apropiada y aporta información vital sobre la comida y el sueño.

Los efectos del método Pilates

El particular tipo de atención que tienes que destinar a los pequeños músculos es fundamental para comprender y practicar el sistema Pilates, y constituye uno de sus ocho principios básicos (véanse también páginas 26-28). Los demás principios que deberías conocer son: la centralización, el control, la respiración, la fluidez de movimientos, la precisión, la individualización y la rutina. Es importante que dediques suficiente tiempo a la comprensión de estos conceptos esenciales.

Todos los movimientos que se realizan en el método Pilates son pequeños, graduales y controlados, y esto los hace muy seguros para todo el mundo, independientemente de su edad, su salud y su estado físico, que tal vez no es óptimo.

Mientras practicas este sistema, gradualmente experimentas lo que significa conocer tu propio cuerpo, quizá por primera vez en tu vida; también descubres que, a medida que aprendes y realizas los ejercicios, poco a poco empiezas a notar resultados. Al principio, posiblemente, pienses que no «pasa nada» y no notes ningún cambio. Pero, poco después, sentirás que tu postura mejora. Tus amigos, familiares o colegas, inesperadamente, te comentarán lo bien que se te ve. Tus músculos comenzarán a estar más tonificados y tus articulaciones más flexibles. Tal vez notes que, a pesar de que no necesariamente pierdas peso, tu estómago se aplanará y tus extremidades parecerán más tonificadas y elongadas. Te encontrarás más fuerte y percibirás un mayor control de tu cuerpo. Tu sensación de bienestar resultará evidente para todo el que entre en contacto contigo. Y, lo más importante de todo, es que te sentirás más tranquila y relajada durante todo el día, al margen de la actividad que desempeñes.

PUNTOS IMPORTANTES EN EL MÉTODO PILATES

- Conocer los ocho principios del sistema Pilates.
- Los movimientos pequeños son más importantes que los grandes.
- Llegar a conocer tu cuerpo.
- La práctica regular da resultado.
- Tu postura mejorará en poco tiempo.
- Tu estómago se aplanará.
- De inmediato comenzarás a sentirte bien contigo misma.

Tus grupos musculares

Cuando practicas ejercicios Pilates estás usando los músculos de un modo muy particular, ya que te estás centrando en ellos de forma apropiada y estás pensando en la calidad del movimiento. Por ejemplo, te centras en «cómo» flexionas la pierna en lugar de pensar «hasta dónde» lo haces. Muchos de tus músculos entran en acción en total sincronicidad. Quizás al principio los consideres demasiado débiles para llevar a cabo un ejercicio en particular, e incluso es posible que ni siquiera los detectes; pero si perseve-

ras, poco a poco te resultarán más obvios y su fuerza se incrementará. Las fotografías que aparecen a continuación muestran los principales grupos musculares que necesitas conocer.

Si estás asistiendo a clases de Pilates, seguramente habrás oído que tu monitor los menciona.

Trapecio
Para elevar y rotar los omóplatos, y para elevar tus brazos sobre la cabeza

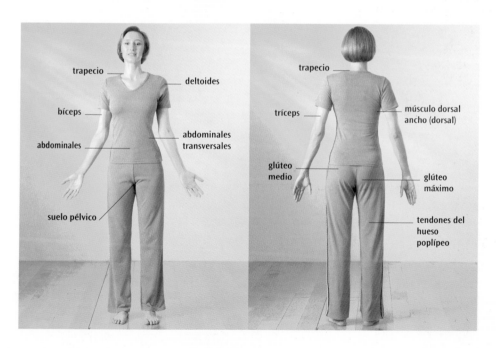

Deltoides

Su función consiste en mover los hombros hacia fuera y hacia atrás, y en extender y flexionar los brazos.

Bíceps

Para flexionar el codo y girar el antebrazo de modo que las palmas queden hacia arriba.

Abdominales

Para flexionar el abdomen, empujar el estómago hacia las costillas y, cuando estás tumbada, para levantar los hombros y las piernas. Los abdominales transversales mantienen los órganos internos en su sitio.

Dorsales

Estos músculos entran en acción cuando haces flexiones y, cuando espiras, se ocupan de comprimir las costillas.

Glúteos

Estos músculos permiten extender la cadera y rotar los muslos lateralmente. Si los ejercitas con regularidad, los glúteos permanecerán firmes

Tríceps

Para estirar o extender el antebrazo desde el codo.

Tendones del hueso poplíteo

Usas estos músculos para flexionar las rodillas y extender los muslos.

Suelo pélvico

Se trata del delgado diafragma de músculos que cubre el anillo pélvico. Es importante tanto para los hombres como para las mujeres y, en consecuencia, deberíamos mantenerlo en forma durante toda la vida.

Oblicuos

Para flexionar y doblar el tronco.

TU ESQUELETO

El esqueleto es el marco básico del cuerpo, el que le da forma. Mientras que los tamaños y las proporciones eventuales de los huesos individuales están determinados mucho antes del nacimiento, el modo en que se equilibran puede cambiar y modificarse a lo largo de la vida. Esto depende de cómo te mantienes erguida, cómo te mueves, qué hábitos posturales adquieres y de tus condiciones generales de salud y bienestar.

Determina tu postura

¿Creías que tu postura era buena hasta que viste tu imagen reflejada en un escaparate? ¿Te sorprendió lo mal que te veías? ¿Estabas ligeramente encorvada o la ropa te sentaba mal? Uno de los elementos clave del método Pilates es la postura. Los ejercicios te hacen pensar en ella y mejorarla, y uno de los grandes beneficios de este sistema es la agraciada postura que finalmente consigues. La buena postura, además de mejorar tu imagen y hacer sentirte bien, contribuye a mejorar tu salud y bienestar general y te ayuda a obtener el máximo beneficio de la rutina Pilates. Por ejemplo, contener los músculos abdominales evitará que esfuerces la espalda durante los ejercicios. Del mismo modo, en la vida cotidiana la buena postura te ayudará a evitar el dolor de espalda, responsable de más bajas laborales que cualquier otra enfermedad.

En resumen, el método Pilates te ayuda a mejorar tu postura, y la buena postura, a su vez, te ayuda a obtener el máximo beneficio de este régimen de ejercicios.

¿BUENA O MALA POSTURA?

Antes de comenzar a examinar tu postura, piensa en las siguientes importantes cuestiones:

- ¿Tu barbilla sobresale o apunta hacia arriba? Si es así, tu columna no está debidamente alineada; por ese motivo, acorta los músculos de la parte posterior del cuello.
- ¿Tus hombros se encuentran a la misma altura, o uno está más alto que otro?
- Cuando tus brazos descansan a ambos lados de tu cuerpo, ¿las muñecas se encuentran a la misma distancia de las caderas?
- ¿Tus rodillas están rectas y apuntan hacia delante?
- ¿Tienes los dos pies apoyados completamente sobre el suelo?
- ¿Tu peso se distribuye hacia los bordes interiores o exteriores de los pies, o bien hacia atrás o adelante?

Las fotografías de las siguientes páginas (16 a 24) te demuestran cómo puedes determinar cuál es tu postura y mejorarla. Lee la página 25 para determinar qué ejercicios Pilates te resultarían más adecuados para mejorar tu postura.

VISTA FRONTAL/INCORRECTA

El peso del cuerpo descansa sobre uno de sus lados, provocando que los hombros se alcen a distintas alturas y las caderas se desequilibren. La columna no está alineada, sino curvada hacia un lado. Las rodillas apuntan hacia dentro y los pies se tuercen en esa misma dirección. El resultado es que la ropa no tiene la caída adecuada y presenta un aspecto irregular.

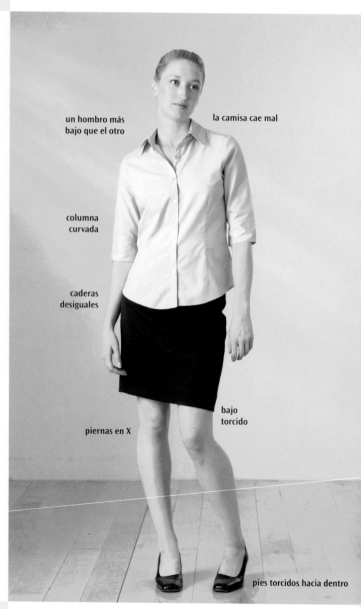

un hombro más bajo que el otro

la camisa cae mal

columna curvada

caderas desiguales

bajo torcido

piernas en X

pies torcidos hacia dentro

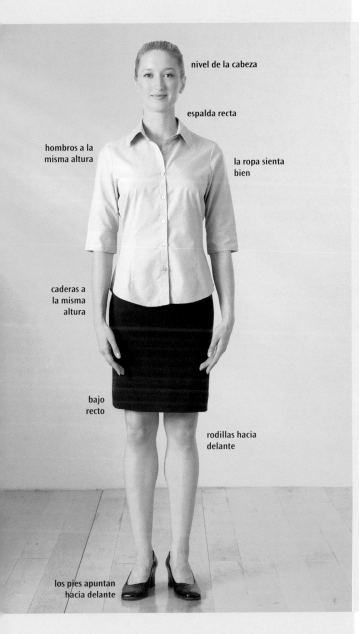

nivel de la cabeza

espalda recta

hombros a la
misma altura

la ropa sienta
bien

caderas a
la misma
altura

bajo
recto

rodillas hacia
delante

los pies apuntan
hacia delante

VISTA FRONTAL/CORRECTA

Si adoptas la postura correcta, tu ropa caerá de forma pareja, la sentirás cómoda y el bajo quedará recto. Para corregir la posición de tu cabeza, mira hacia delante, con la barbilla ligeramente echada hacia atrás. Imagina que un hilo unido a la parte superior de tu cabeza la empuja hacia arriba, estirando el cuello y la columna. Es posible que estés acumulando tensión en el cuello. Comprueba si tus hombros y el tercio superior de tu espalda están desplazados hacia delante. ¿Los hombros se alzan a la misma altura? Si tiendes a llevar el bolso siempre sobre el mismo hombro, posiblemente hayas adquirido el hábito de tensar un lado y el otro no. Deja caer los hombros y si se tensionan, aflójalos rotándolos unas cuantas veces.

VISTA LATERAL/INCORRECTA

Ponte de pie frente a un espejo, de lado. ¿El tercio inferior de tu columna se curva hacia dentro, o tu estómago o tus nalgas sobresalen? ¿Tiendes a apoyar el peso de tu cuerpo principalmente sobre un lado? En este ejemplo, la chica apoya su peso sobre el lado izquierdo, motivo por el cual la pelvis y la columna aparecen ladeadas. Los hombros están encorvados y a distintas alturas. Sobresalen las nalgas y la espalda se curva hacia dentro.

el peso corporal está distribuido de forma despareja

hombros encorvados y a distintas alturas

tercio inferior de la espalda curvado hacia dentro

las nalgas sobresalen

la ropa no sienta bien

hombros a la
misma altura
y relajados

peso distribuido
de forma pareja
sobre las caderas

la ropa sienta bien y
resulta cómoda

VISTA LATERAL/CORRECTA

Deberías mantener las piernas rectas, y la resultante sensación de extensión debería extenderse hacia arriba, hasta los músculos de las nalgas. Intenta contraer el estómago; esto ladeará la pelvis. Mantén la posición contrayendo los músculos inferiores de las nalgas. Los zapatos que elijas son importantes: evita los tacones altos y las plataformas, y opta por suelas flexibles que permitan el máximo movimiento de los pies.

BALANCEO HACIA ABAJO

Consiste en verificar que no exista tensión en el cuello y los hombros, y que estés utilizando los músculos correctos.

■ Erguida y con los pies separados, las rodillas flexionadas y los dedos flojos, contrae las nalgas y «mete» el estómago.

■ Baja la barbilla hasta el pecho, sintiendo la extensión baja hasta el tercio superior de la espalda. Permite que los hombros y esa zona se inclinen hacia delante.

■ Los brazos caen hacia delante y la espalda se curva. Con las piernas flexionadas, deja que la parte superior de tu cuerpo «se desplome» completamente hacia delante, mientras tu cabeza estira la columna.

■ Con las piernas flexionadas y los brazos «colgando», comienza a enderezarte poco a poco. Primero contrae ligeramente las nalgas y mete el estómago. Estira la columna. Siente que los hombros se deslizan hacia abajo, mientras mantienes los brazos flojos. Estira las rodillas con lentitud y siente que el cuello se estira mientras adelantas ligeramente la cabeza.

01

02

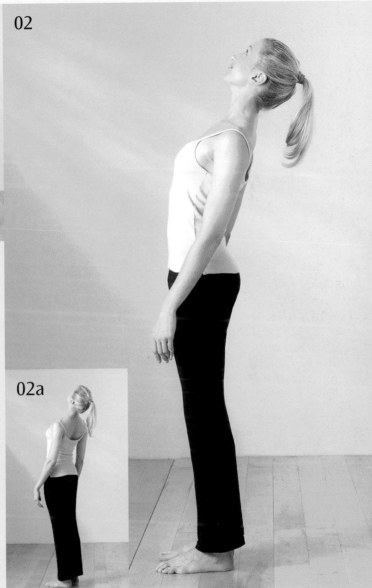

INCLINACIÓN HACIA ATRÁS (01-02)

Para determinar la movilidad del tercio superior de la espalda.

(01) Ponte de pie en posición recta, con los brazos flojos a ambos lados del cuerpo.

(02) Desde la espina torácica, eleva el torso y dirige el esternón hacia el techo. Deja que los brazos caigan de forma natural. No cometas el error de forzar el cuerpo hacia atrás porque perderás el equilibrio.

02a

(02a) La misma postura que en el paso 02, vista posterior.

01

02

03

GIRO/COSACO *(01-03)*
Para comprobar la movilidad de tu columna torácica.

(01) Mantén las manos planas frente a ti, con las puntas de los dedos en contacto, a la altura de la zona media del esternón.

(02) Inspira, y mientras espiras gira la parte superior del cuerpo hacia la derecha. Inspira de nuevo y regresa a la posición inicial.

(03) Inspira, y mientras espiras gira la parte superior del cuerpo hacia la izquierda. Inspira de nuevo y regresa a la posición inicial. Repite el ciclo diez veces.

FLEXIÓN LATERAL

Para comprobar la movilidad general y verificar si tu extensión lateral es simétrica a ambos lados del cuerpo.

De pie, en posición normal, deja que las manos caigan con naturalidad. Inspira, y mientras espiras flexiona el cuerpo hacia un lado, pensando en que tu oreja se dirige hacia el hombro. Inspira una vez más, y mientras espiras regresa a la posición inicial. Ahora flexiona el otro lado del cuerpo y repite el ciclo diez veces.

TENDONES DEL HUESO POPLÍTEO *(01-02)*
Para comprobar su movilidad.

*(01) Túmbate en el suelo con la rodilla
derecha flexionada y el pie completamente
apoyado. Estira hacia arriba los dedos del pie
izquierdo, realizando una leve flexión. Evita
curvarlos. Contrae los músculos del estómago
hacia abajo, en dirección al suelo.*

*(02) Inspira, y mientras espiras eleva
la pierna izquierda hasta que alcance la
posición vertical. Inspira una vez más, y al
espirar baja nuevamente la extremidad. Haz
lo mismo con la pierna derecha. Repite el
ciclo diez veces.*

¿QUÉ TAL TE HA IDO?

¿Ciertos aspectos de tu postura deben ser mejorados? Cuando hayas identificado alguno de los problemas que describimos a continuación, trabaja con los capítulos 2, 3, 4 y 5. Puedes seleccionar una rutina personal y usarla con regularidad. Las principales áreas sobre las que debes concentrarte son: abdominales, nalgas, tendones del hueso poplíteo, parte interior de los muslos y dorsales.

P *Cuando en el espejo ves tu imagen lateral, ▪ ¿tu estómago sobresale? ▪ ¿lo que sobresalen son tus nalgas? ▪ ¿curvas el tercio inferior de la espalda hacia dentro?*

R *Si es así, necesitas tonificar tus abdominales, los músculos de las nalgas, los tendones del hueso poplíteo y los dorsales.*

P *¿Tus hombros están tensos y rígidos o encorvados?*

R *Si es así, necesitas ejercicios de hombros y dorsales y otros que afecten la mitad de tu espalda.*

P *¿La parte posterior de tu cuerpo se hunde y tus rodillas parecen flexionadas?*

R *Fortalece tu centro, prestando especial atención a las nalgas. Vigoriza los tendones del hueso poplíteo y luego estíralos.*

P *¿Te cuesta mantenerte de pie en posición erguida? ¿Te sientes incómoda?*

R *Necesitas tonificar todos tus grupos musculares para conseguir una buena postura y una clara sensación de bienestar.*

Principios fundamentales del Pilates

La finalidad del método Pilates es convertir tu mente y tu cuerpo en una única entidad, para que puedas moverte sin esfuerzo, con elegancia y seguridad, sin tener que pensártelo dos veces. Pero antes de que esto pueda suceder, tienes que entrenar tu mente para pensar en tu cuerpo mientras practicas los ejercicios. Debes prestarle la máxima atención y, para conseguirlo, existen ocho principios básicos que deberías intentar llevar a cabo cada vez que realices ejercicios Pilates.

considerar sencillos pueden ser en realidad más complejos de lo que crees. En Pilates, las posiciones y los movimientos de las distintas partes del cuerpo están interrelacionados: cada uno afecta e impacta sobre el otro. Concentrarte en todo tu organismo al mismo tiempo es un verdadero desafío, pero lo conseguirás con la práctica. Una vez que domines la técnica de fusionar cuerpo y mente, comprobarás sus beneficios, tanto mientras trabajas como durante tus momentos de descanso.

1. CONCENTRACIÓN

Existen muchas técnicas de ejercitación con las que puedes «desenchufarte» mentalmente cuando realizas tus actividades físicas. Pero con Pilates, cada ínfimo movimiento requiere que pienses cuidadosamente en él. Esto significa que debes bloquear cualquier otro pensamiento mientras te concentras. Cuando estés haciendo los ejercicios Pilates, sigue las instrucciones exactamente y no caigas en la tentación de «tomar atajos». Centra toda tu atención en lo que estás haciendo. Opera en el presente y practica la concentración. No des por hecho que ya sabes hacer algo cuando el simple hecho de leer nuevamente las instrucciones podría beneficiarte. Concéntrate al máximo en la totalidad de tu cuerpo, ya que los movimientos que podrías

2. CENTRALIZACIÓN

El término «centralizar», tal como es usado en Pilates, nada tiene que ver con el «centro espiritual» de los orientales ni con el «centramiento» del que posiblemente hayas oído hablar. Uno de los objetivos básicos de Pilates es fortalecer los músculos centrales, los más profundos. La idea es proteger la columna y crear una fuerte base para que puedas llevar a cabo tus movimientos cotidianos. Por eso, la centralización resulta vital para todos tus movimientos, ya estés disputando una carrera o te encuentres sentada tranquilamente en una silla. Tu centro es la banda continua de músculos que se extiende desde la parte inferior de la caja torácica hasta los huesos de la cadera. Ésa es la zona en la que debes concentrarte. Si la mantienes flexible, tu cintura se mantendrá en forma, tu estómago se verá plano, tu postura mejorará y experimentarás menos cansancio, dolor de espalda y lesiones en general. Tu centro representa el núcleo de tu estabilidad.

3. CONTROL

Los ejercicios Pilates no son actividades fortuitas. Concentrarte en tu cuerpo te ayuda a controlar todos los aspectos de cada movimiento que realizas, desde la posición de tus dedos hasta los movimientos expansivos de las extremidades.

Si realizas maniobras fuertes y descontroladas sin siquiera pensar en lo que estás haciendo, esto se reflejará en las demás actividades físicas que lleves a cabo en tu vida. En consecuencia, se deduce que el control de las actividades físicas te permitirá dominar más tus pensamientos y tu comportamiento.

Llevarás las riendas de ti misma, en lugar de permitir que tu ser te controle a ti. Debido a que en el método Pilates trabajas en contra de la gravedad, tu cuerpo se fortalece poco a poco. Cuanto más lentamente efectúes tus movimientos poniendo en práctica un elevado control, mayor será tu fuerza y tu coordinación. El método Pilates te aportará grandes beneficios.

4. RESPIRACIÓN

La respiración es una de las cuestiones más importantes del método Pilates. Una respiración correcta implica que la sangre se carga de oxígeno y hace su trabajo apropiadamente, despertando a todas las células del cuerpo y transportando los residuos. Cuando realices ejercicios Pilates, tu respiración deberá coordinarse con el movimiento que estés llevando a cabo, así que es importante que te asegures de estar siguiendo al pie de la letra todas las instrucciones relativas a la respiración que se detallan en cada actividad. Como regla general, inspira para prepararte (o para volver al centro o lugar de inicio durante un ejercicio) y espira para realizar el movimiento. Existen excepciones a esta indicación que serán debidamente especificadas cuando sea necesario.

5. MOVIMIENTO FLUIDO

Los ejercicios Pilates deben ser llevados a cabo de forma lenta y suave con el fin de obtener el máximo beneficio posible. Intenta no moverte demasiado rígidamente o con brusquedad, ni tampoco a gran velocidad o con exagerada lentitud. Cuando camines por la calle, recuerda que un músculo deberá trabajar en conjunción con otro. Siempre tiene que existir sincronicidad entre tus movimientos.

6. PRECISIÓN

Si realizas todos los pequeños movimientos con la máxima exactitud de la que eres capaz, éstos ejercerán un mayor impacto sobre tu cuerpo, y la duración de esa influencia positiva también aumentará. Comenzarás a notar que tu cuerpo está en armonía, y este estado se reflejará en tu vida cotidiana como una combinación de elegancia y economía de movimientos.

7. INDIVIDUALIZACIÓN

Cada uno de nosotros es diferente y tiene distintas necesidades y habilidades. Aprender a practicar Pilates nos permite desarrollar una importante conciencia de nuestro cuerpo, que eventualmente derivará en el control de nuestros grupos musculares individuales y en la corrección de nuestros patrones de movimiento.

8. RUTINA

Pilates requiere una práctica regular para «dejar huella» en tu cuerpo y luego en tu forma de vida. La técnica no reemplaza otras actividades, pero es una forma de mejorar tu rendimiento, tanto en ellas como en tu vida en general. Por eso, te recomendamos que conviertas el método Pilates en un hábito regular de tu vida cotidiana, independientemente de tu actividad. Este libro te enseña a integrar esta serie de ejercicios en tu vida, incluso cuando te encuentras lejos de casa en viaje de negocios o de vacaciones.

CALENTAMIENTO

Si estás a punto de comenzar una actividad física intensa, antes debes entrar debidamente en calor, trabajando los sistemas cardiovascular y respiratorio al mismo tiempo. Aquí tienes algunas ideas para que crees tu propia rutina de calentamiento:

■ Comienza a caminar, cambiando continuamente de dirección. Tus pies deben estar flojos y las articulaciones relajadas. Aumenta la velocidad. Comienza a rotar los hombros hacia delante y atrás. Rota también las muñecas y mueve los dedos. Realiza círculos con los brazos en ambas direcciones, con los codos flexionados y luego estirados. Ahora gira el torso en la dirección del círculo. Poco a poco incrementa tu ritmo hasta alcanzar un trote suave. Mantén los pies flojos y las articulaciones relajadas. Continúa moviendo los brazos como si fueran pistones. Para finalizar, disminuye la velocidad hasta regresar a un ritmo de paseo.

■ En posición erecta, con los pies ligeramente separados y las rodillas rectas pero no trabadas, apoya los dedos sobre los hombros con los codos hacia fuera y la parte superior de los brazos paralela al suelo. Efectúa círculos con los codos hacia atrás y delante, sintiendo el movimiento en las articulaciones de los hombros.

■ Ahora sitúa los brazos a ambos lados de tu cuerpo, con las palmas hacia atrás. Mientras espiras, y sin mover los hombros, presiona lentamente los brazos, también hacia atrás. Este movimiento ejercita los dorsales.

■ A continuación, flexiona los brazos frente a tu pecho, separados del esternón. Manteniendo la cadera inmóvil, inspira y, mientras espiras, gira el torso hacia la derecha lo máximo que puedas. Luego inspira de nuevo para volver a la posición inicial. Repite del otro lado.

■ Separa bien los pies. Coloca la mano izquierda sobre la cadera, sacando el codo hacia fuera, y estira el brazo derecho hacia arriba. Mientras espiras, manteniendo la cadera inmóvil, estira el torso hacia la izquierda, manteniendo la elongación. Incrementa el estiramiento rotando la palma hacia arriba. A continuación, repite con el otro lado.

■ Regresa a tu posición inicial básica. Deja caer la cabeza hacia el pecho y, mientras espiras, balancea la columna hacia abajo lo máximo que puedas, dejando que los brazos caigan libremente. Inspira, y mientras espiras vuelve lentamente a la posición inicial. Repite diez veces.

■ Ahora estira suavemente pantorrillas, tendones del hueso poplíteo y cuádriceps. Comienza el estiramiento de forma lenta y mantén la posición entre diez y quince segundos. No rebotes.

■ Concéntrate en tus manos y pies. Con un pie elevado del suelo, mueve la articulación del tobillo hasta el máximo. Usando las manos, manipula las articulaciones de los dedos de los pies y luego estíralos y dales un masaje.

■ Después de la actividad es importante que «te enfríes», y para eso es necesario que lentamente reduzcas tu temperatura corporal hasta un nivel normal. Asimismo, debes reducir tu ritmo de movimiento de forma gradual y estirar los músculos más importantes.

RESUMEN DEL CALENTAMIENTO

1. *Caminar y aflojarse.*
2. *De pie, girar los hombros.*
3. *Trabajar los dorsales.*
4. *Rotación del torso.*
5. *Estiramiento del torso.*
6. *Cabeza al pecho.*
7. *Estiramiento de pantorrillas, tendones del hueso poplíteo y cuádriceps.*
8. *Manos y pies.*
9. *Enfriamiento.*

Tu agitada forma de vida

No importa cuánto ejercicio hagas, o cuán sensible seas sobre tu postura, si tu dieta carece de un régimen adecuado, bebes demasiado alcohol, fumas y no duermes lo suficiente: tu salud general comenzará a resentirse. Hacer más ejercicio no te ayudará. Te sentirás constantemente cansada y al límite, baja de energía y tendrás dificultades para concentrarte. Tu trabajo comenzará a reflejarlo, al igual que tu vida social. Comenzarás a sucumbir a enfermedades menores, como resfriados y gripes, e incluso es posible que te sientas deprimida. Necesitas evaluar tu vida y determinar cómo la estás viviendo. Luego, tras realizar unos cuantos ajustes básicos, comenzarás a sentirte mejor y a tener un aspecto más saludable; además, serás capaz de afrontar todas las exigencias de tu larga jornada.

LA ELECCIÓN DE LOS ALIMENTOS

Una dieta equilibrada es fundamental para la buena salud, así que bien merece la pena destinar unos minutos y un poco de energía a planificar tu ingesta diaria de alimentos. En lugar de coger algo para comer cada vez que tienes hambre, intenta planificar comer tres platos regulares y nutritivos al día. Y también procura pensar bien en tus aperitivos. Muchas personas se permiten un tentempié, como una barra de chocolate o un paquete de patatas fritas, cuando se sienten aburridas o estresadas, y no necesariamente porque en verdad sientan ganas de «picotear». Pero esta costumbre no hará más que quitarles las ganas de ingerir su siguiente plato, ya que están consumiendo calorías vacías que no le «dejarán sitio» para una comida de verdad. Resulta muy tentador ingerir una rápida dosis de azúcar, a través de algún alimento dulce, porque proporciona energía instantánea, pero no hay que olvidar que más tarde te hará sentir soñolienta y vacía. Intenta resistir la tentación. Si tomas aperitivos, es preferible que optes por una pieza de fruta, como un plátano, o un puñado de nueces, o una crujiente zanahoria, en lugar de recurrir a las grasas.

Si estás intentando perder peso, no olvides que comer menos no necesariamente es la solución, en particular si llevas una forma de vida sedentaria. Lo que necesitas es combinar la ingesta de alimentos sanos adecuados a tus necesidades con una mayor cantidad de ejercicios físicos.

La mayoría de nosotros tenemos una vaga idea de lo que es una dieta buena y equilibrada. Posiblemente seamos conscientes de que deberíamos evitar la carne roja y los alimentos con grasas para tomar más fruta fresca, verduras y fibra; sin embargo, aun así es difícil saber si en verdad estamos ingiriendo una buena proporción de nutrientes. En general, lo que importa es la calidad de lo que consumimos en lugar de la cantidad, porque las necesidades individuales varían notablemente según la altura, la edad, la constitución física, el metabolismo y los niveles de actividad. Sin embargo, una importante regla a seguir es evitar comer una ración superior a la cantidad de alimento que podríamos abarcar con ambas manos unidas y ahuecadas. Otro consejo: intenta comprar alimentos integrales no refinados, en lo posible orgánicos. También es fundamental beber mucho todos los días, al menos dos litros de agua diarios, para mantener el cuerpo debidamente hidratado. Pero resulta particularmente importante ingerir grandes cantidades de líquido durante los viajes en avión (véase página 63). Intenta reducir la ingesta de café, té y otras bebidas que contienen cafeína, incluyendo algunas colas, porque tienen un efecto deshidratante.

Deberías intentar llevar una dieta equilibrada en lo que a los alimentos con base ácida y alcalina se refiere. Los ácidos son la carne, los huevos, el pescado, la caza, los almidones y los productos realizados con harina. Los alimentos alcalinos incluyen todas las frutas, además de las verduras verdes y de

raíz. Una buena proporción es uno a cuatro (es decir, un alimento ácido por cuatro alcalinos). Por ejemplo, si tomas una porción de queso, pescado, carne o pan, deberías acompañarla con cuatro partes de fruta y verduras verdes o de raíz.

Es conveniente intentar comer cinco porciones de fruta fresca y verduras al día, y hasta cuatro rebanadas de pan integral. Si comes carne, decántate por el pescado una o dos veces a la semana; aves una o dos veces, y carne roja sólo una. No abuses del queso, y toma pasteles sólo de forma ocasional. Restringe el alcohol a uno o dos vasos de vino con la cena, e intenta no habituarte a consumir esta clase de bebidas todas las noches. Procura, asimismo, controlar la ingesta de azúcares refinados —generalmente «escondidos» en alimentos bajos en grasas, platos ya preparados, dulces y galletas— y de carbohidratos refinados (por ejemplo, pan, pasta y arroz blanco). Éstos pueden alterar los niveles de azúcar en sangre y provocar cambios de humor, bajones de energía, hiperactividad y aumento de peso. En lugar de ellos, opta por consumir carbohidratos complejos, que liberan azúcar en el torrente sanguíneo de forma más lenta; algunos ejemplos son los cereales integrales, las judías, las lentejas y las verduras.

GRUPOS DE ALIMENTOS
Carbohidratos y fibra
Presentes en: cereales, frutas, legumbres, nueces, verduras y leche. Los alimentos ricos en almidón, como los cereales integrales, las verduras de raíz, las legumbres y los plátanos, deberían representar la mitad de tu ingesta de calorías.

Grasas
Hechas a partir de ácidos grasos saturados, poliinsaturados y monoinsaturados. Consumir una mezcla de alimentos deriva en una dieta equilibrada. Ten en cuenta que las grasas animales y las margarinas contienen más ácidos grasos saturados que las grasas vegetales.

Proteínas
Se encuentran en todas las frutas y las verduras, en especial en los guisantes, las judías, las lentejas, los cereales, las nueces, las semillas, los brotes y las patatas. Proteínas animales son la leche, el queso, la carne, los huevos y el pescado.

Minerales
Una variedad de alimentos te aportan los minerales que necesitas.

Vitaminas
Presentes en diversos alimentos.

CONSEJOS GENERALES
- Intenta consumir grandes cantidades de fibra (presentes en las legumbres, los cereales integrales, la fruta y la verdura).
- Toma una generosa selección de fruta fresca y verduras, en especial las de hoja verde, para satisfacer tu cuota de vitaminas, minerales, ácidos grasos esenciales y fibra. Todos estos alimentos tienes que cocinarlos muy poco, o bien comerlos crudos.
- Reduce tu ingesta de grasas. Come gran cantidad de pescado, menudos, caza, aves, cereales integrales, legumbres, nueces y semillas, e intenta reducir la carne roja y el queso.
- Evita las tartas, los dulces, el chocolate, los pasteles, el helado, la mermelada, las frutas en almíbar, los refrescos, el azúcar en el té o café y los batidos.
- Reduce el consumo de alimentos procesados para evitar las grasas saturadas, el azúcar añadido y los cereales refinados, así como los aditivos.
- Bebe alcohol con moderación.
- Para perder peso, haz más ejercicio y sigue una dieta equilibrada. No comas más de lo que necesitas para mantener el peso adecuado para tu altura, edad y constitución física.

SUEÑO

Todos necesitamos una buena calidad de sueño y, por supuesto, una cantidad suficiente (por lo general, alrededor de siete u ocho horas por noche), si bien es común encontrarse con ciertos individuos ambiciosos que aseguran necesitar mucho menos que el resto de nosotros. Nos hace falta dormir para ser capaces de funcionar bien en la vida, y el simple hecho de perder sólo un poco del sueño que necesitamos afecta a nuestra capacidad de rendir al máximo. La falta de sueño crónica puede detener el crecimiento infantil o reducir los niveles de inmunidad; también llega a afectar a nuestra capacidad para concentrarnos y tomar decisiones.

Son muchos los factores que pueden influir en nuestra capacidad para obtener las horas de sueño *de calidad* que nos hacen falta: desde preocupaciones menores vinculadas con el trabajo, las relaciones, las finanzas y la salud, hasta ansiedad y depresión persistentes. Si tienes problemas para dormir, primero intenta reducir alguna de tus preocupaciones y luego analiza seriamente tu forma de vida (véase columna de la derecha).

CONSEJOS PARA DORMIR

- ¿Haces suficiente ejercicio? Intenta caminar deprisa al menos quince minutos al día.
- ¿Tomas demasiada cafeína? Opta por consumir café de diente de león y té de hierbas.
- Intenta no cenar en abundancia después de las ocho de la tarde.
- ¿Duermes en una cama adecuada para ti? Debería ser firme, pero permitir que tu columna adopte su forma natural de «S».
- ¿Tienes demasiado calor? Asegúrate de que las mantas de tu cama sean ligeras pero cálidas.
- Vierte unas pocas gotas de aceite esencial de lavanda o camomila en la almohada.
- ¿Entra suficiente aire fresco en tu habitación? Abre un poco la ventana, pero no duermas en plena corriente de aire.
- ¿Entra luz artificial en tu cuarto? Si es así, invierte en cortinas gruesas o en persianas para oscurecer la habitación lo máximo posible.

CAPÍTULO DOS

Comenzar el día con Pilates

La forma de empezar el día es sumamente importante.
¿Alguna vez has dicho: «Hoy no debería haberme
levantado de la cama»? Un comienzo agitado puede
ponerte de mal humor, generando una reacción en
cadena que acaba en el clásico «mal día». Los ejercicios
Pilates te hacen comenzar tu jornada lo mejor posible
y te ayudan a alcanzar tu verdadero potencial.

Incluso antes de sacar un pie de la cama, es conveniente que hagas algunos ejercicios de flexión que te ayudarán a comenzar bien el día. A continuación, presentamos una rutina Pilates para el dormitorio, que debes llevar a cabo en cuanto te levantas de la cama; la función de estos ejercicios es ayudarte a estirar y flexionar partes del cuerpo que han permanecido inactivas durante la noche. En la sección del baño veremos ejercicios Pilates que puedes incorporar a tu rutina matinal, y también incluye útiles consejos sobre la posición correcta que debes adoptar cuando te estás cepillando los dientes o cuando te lavas y cepillas el pelo.

Algunas personas tienen problemas para mantener el equilibrio sobre un pie mientras se ponen las medias, alguna prenda ajustada o los pantalones, una acción que les resulta particularmente difícil por las mañanas. Aquí ofrecemos algunos sencillos ejercicios Pilates para que mejores gradualmente tu equilibrio y flexibilidad general, y también para que te resulte más fácil alcanzar las cremalleras posteriores.

Frente a la mesa del desayuno y en la cocina, existen ejercicios Pilates directos que puedes practicar para relajarte y sosegarte frente al día que te espera, y también sencillas formas de llevar a cabo tareas cotidianas esenciales sin dañar tu postura.

Muchas personas deben coger trasporte público o tienen niños que atender a esa hora de la mañana, así que, evidentemente, los ejercicios no se encuentran entre sus prioridades más inmediatas. Si ése es tu caso, es posible que, en efecto, no tengas tiempo de practicar Pilates a esa hora del día. Pero no te preocupes. Elige un momento tranquilo más tarde, cuando tengas menos prisa y puedas dedicarte unos minutos a ti misma.

En el dormitorio

En cuanto te despiertes, asegúrate un buen comienzo del día pensando en los movimientos físicos que realizas al levantarte de la cama. Quizá sería conveniente que te despertaras un poquito antes de lo habitual para tener tiempo de realizar algunos ejercicios Pilates con la mente relajada. La mayoría de las personas se despiertan con la alarma de un reloj y saltan de la cama demasiado abruptamente, una violenta reacción que resulta muy negativa, tanto para el cuerpo como para el alma, y que deriva en un mal comienzo del día.

Procura iniciar la jornada de forma más tranquila y tómate tu tiempo para realizar algunos suaves ejercicios en la cama, lo cual te ayudará a sosegarte en cuerpo y mente para el día que te espera. Intenta no apresurarte. Después, dedica unos minutos a la práctica de suaves ejercicios de suelo, seguidos de unos pocos más que puedes combinar con tu rutina de baño de las mañanas. Por último, emplea el tiempo que necesites en la elección de la ropa que lucirás, y prepararte para salir. Intenta disfrutar de cada paso de tu preparación para el día que acaba de comenzar.

CONSEJOS GENERALES

■ *Cuando compres un colchón, elige uno que no sea demasiado duro ni demasiado blando, sino firme y que te proporcione un buen apoyo. Debería tener cierta elasticidad, pero no tanta como para que tu pelvis pierda su alineación.*

■ *Tu(s) almohada(s) debería(n) ser de pluma si es posible, y razonablemente plana(s), para que no duermas con la cabeza levantada.*

LA POSICIÓN FETAL

Si tienes problemas de espalda de cualquier tipo, o incluso una espalda algo «delicada», duerme en posición fetal (véase fotografía de la izquierda), colocando una almohada plana entre tus muslos y otra bajo tu cabeza.

01

02

03

RODILLA AL PECHO *(01-03)*
Realiza este ejercicio antes de salir de la cama para ayudar a relajar cualquier tensión acumulada en la espalda y el cuello. Es posible que ni siquiera hayas notado que estás tensionada, pero tomarás conciencia de la mejoría de tu postura una vez que hayas aflojado ambas zonas. Mientras realizas el ejercicio notarás que tus vértebras inferiores se abren.

(01) Túmbate boca arriba y flexiona las rodillas, manteniéndolas alineadas con la cadera y ligeramente separadas. Contrae los músculos del estómago y mantén la posición hasta que hayas finalizado el ejercicio. Une las manos debajo de las rodillas.

(02) Inspira, y mientras espiras baja la rodilla derecha suavemente hasta el pecho. Mantén los brazos separados del cuerpo. Inspira de nuevo, y durante la espiración lleva la rodilla izquierda hasta el pecho.

(03) Inspira, y mientras espiras dirige ambas rodillas hacia el pecho. Afloja. Repite el ciclo diez veces.

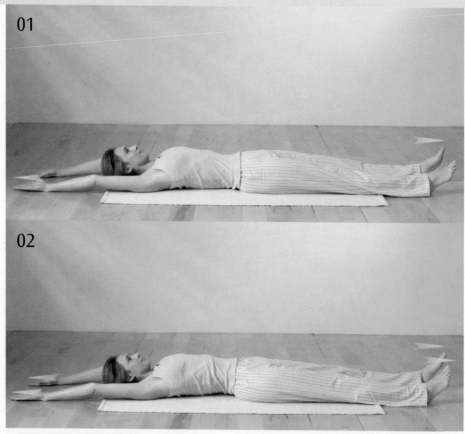

01

02

ESTIRAMIENTO DE BRAZOS Y PIERNAS
(01-02)
Este placentero ejercicio estira
completamente tu cuerpo y resulta
particularmente efectivo si has estado
durmiendo «acurrucada» toda la noche.
Puedes realizarlo mientras aún te encuentras
en la cama o bien en el suelo.

(01) Tumbada de espalda, con los brazos y las
piernas extendidos, inspira. Al espirar, estira
el brazo derecho por encima de la cabeza y la
pierna izquierda hacia delante, también al
máximo. Repite con el brazo izquierdo y la
pierna derecha. Realiza esta secuencia ocho
veces alternando las extremidades.

(02) Inspira de nuevo. Luego, mientras
espiras, estira los dos brazos y las dos piernas
simultáneamente.

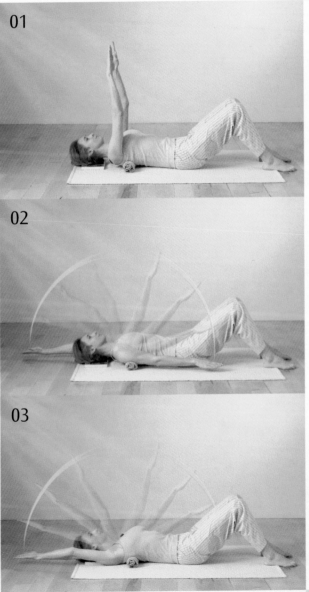

01

02

03

RUTINA PILATES PARA EL DORMITORIO *(01-12)*
Practica esta simple secuencia de suelo del método Pilates.

RELAJACIÓN DEL TERCIO SUPERIOR DE LA ESPALDA *(01-03)*
Para relajar los hombros y movilizar la espina torácica.

(01) Túmbate boca arriba con las rodillas arriba y los pies apoyados completamente sobre el suelo. Coloca una toalla de mano enrollada bajo tus omóplatos y, si te hace sentir más cómoda, levanta un poco la cabeza apoyándola sobre un libro. Estira los brazos suavemente hacia arriba, con los dedos rectos y las palmas hacia adelante.

(02) Inspira, y mientras espiras contrae los músculos del estómago, situando el brazo izquierdo junto a la oreja del mismo lado. Al mismo tiempo, mueve el brazo derecho hacia delante, contra la zona lateral del cuerpo, con los dedos apuntando hacia los pies.

(03) Inspira mientras desplazas los brazos de nuevo hacia su posición inicial y, durante la espiración, lleva el brazo derecho hacia atrás y mueve el izquierdo hacia delante. Sigue alternando los brazos unas diez veces.

04

05

ROTACIONES DE CADERA (04-05)
Para estirar la cintura y los muslos, trabajando la cadera y el tercio inferior de la espalda. Ten mucho cuidado si tienes problemas en esa zona.

(04) Aún tumbada boca arriba, con las rodillas elevadas y los pies apoyados en el suelo, coloca los brazos bajo tu cabeza. Tus rodillas deben mantenerse separadas

siguiendo la línea de la cadera durante todo el ejercicio.

(05) Inspira, y mientras espiras desplaza las rodillas h el suelo apoyándote sobre tu lado derecho. Tu nalga izquierda se elevará ligeramente. Mientras haces este movimiento, gira la cabeza hacia el lado izquierdo. Inspira, y mientras espiras vuelve a situar las rodillas y cabeza en la posición inicial. Ahora repite el movimie hacia el otro lado. Alterna el ejercicio diez veces.

CONTRACCIÓN DE NALGAS *(06-07)*
Para fortalecer los glúteos, elongar la espina lumbar y activar los abdominales, contribuyendo así a mejorar la postura.

(06) Túmbate boca abajo y coloca un cojín pequeño entre tus muslos. Apoya el estómago sobre una almohada mientras tu cabeza descansa sobre tus manos o la colocas de lado.

(07) Inspira. Al espirar céntrate en el cojín que se encuentra entre tus muslos mientras contraes los músculos de las nalgas, como si los huesos sobre los que «te sientas» estuvieran uniéndose. Intenta no mover las piernas, ya que eso provocaría un uso excesivo de los músculos de las nalgas y las piernas.

POSICIÓN DE DESCANSO
Tómate un momento para lograr un descanso completo. Esta posición es perfecta para aflojar tensiones y estrés.

(08) Desplázate hacia atrás, siempre mirando hacia abajo (y quitando los cojines), de modo que tus nalgas descansen sobre los talones y tus brazos se estiren hacia el frente. Sentirás que tu espalda se estira en toda su extensión. Descansa durante un par de minutos.

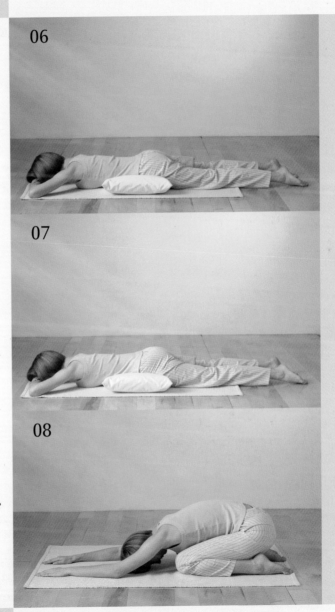

06

07

08

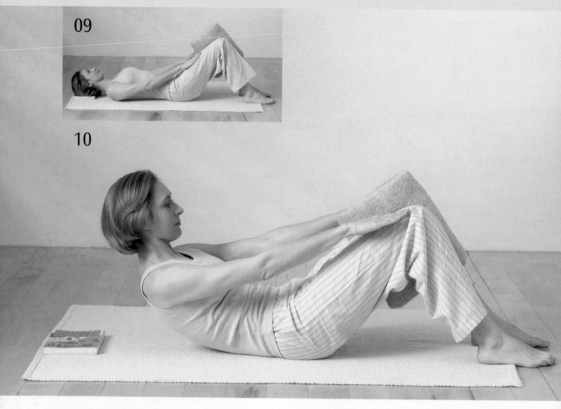

«SIT-UPS» O SENTADILLAS (09-10)
*Para fortalecer los músculos abdominales.
Puedes hacerlos en la cama o sobre el suelo.*

*(09) Tumbada boca arriba con las rodillas
elevadas, apoya la cabeza sobre una toalla
enrollada o un libro. Coloca otra toalla pequeña
entre tus rodillas, y sitúa las manos sobre los
muslos de modo que la pelvis se mantenga
estable.*

(10) Inspira, y mientras espiras contrae los

*músculos del estómago y suavemente aprieta la
cara interior de los muslos, asegurándote de que
el hueso caudal permanezca apoyado en el
suelo. Con los dedos de las manos «camina»
sobre los muslos hacia delante, lo que provocará
que tu cabeza y tus hombros se curven
ligeramente al despegarse del suelo. Inspira, y
mientras espiras retrae los músculos del
estómago y desciende, deslizando una vez más
los dedos de las manos por encima de tus
piernas. Respira profundamente y descansa.
Repite esta secuencia diez veces.*

«SIT-UPS» OBLICUOS (11-12)
Para trabajar los músculos abdominales laterales.

(11) Túmbate boca arriba de la misma forma que antes, pero con la mano izquierda detrás de la cabeza y la derecha apoyada sobre el suelo. Inspira, y mientras espiras contrae los músculos del estómago.

(12) Sujetando la cabeza con la mano izquierda, curva el cuerpo hasta apuntar con el codo izquierdo hacia la rodilla derecha. Asimismo, dirige la mirada hacia tu lado derecho. Estira la mano derecha en dirección a los pies. Inspira, y mientras espiras vuelve lentamente a la posición inicial. Realiza diez sit-ups (sentadillas) de cada lado.

En el baño y la cocina

Saca el máximo provecho posible de los movimientos que llevas a cabo en el baño y la cocina para mejorar tu postura y aprender a realizar las tareas cotidianas sin esforzar el cuerpo de forma innecesaria.

CONSEJOS GENERALES

- No realices tu rutina diaria a toda prisa. Lleva a cabo tus tareas con cuidado, concentrándote en lo que estás haciendo en lugar de pensar en lo que harás más adelante.
- Intenta mejorar tu postura para sentirte más segura frente a la atareada jornada que tienes por delante.
- Tómate tu tiempo para desayunar adecuadamente.

FRENTE AL LAVABO *(01-02)*
Ejercicio «del gato», de pie.

(01) Coloca las manos a ambos lados del lavabo, con los pies paralelos. Con la cabeza apenas inclinada, inspira y, mientras espiras, curva la espalda suavemente hacia delante.

(02) Inspira. Durante la espiración estira la columna y empuja los hombros hacia abajo. Arquea el tercio inferior de la espalda y levanta la cabeza. Inspira y relaja la espalda. Espira y elonga la columna una vez más. Repite de ocho a diez veces.

RELAJACIÓN DEL TERCIO SUPERIOR DEL CUERPO *(03-04)*
Para trabajar la postura de la parte superior del cuerpo. Los hombros se aflojan y alivian tus tensiones.

(03) Con la parte superior de los brazos muy cerca del cuerpo, flexiona los codos hasta formar un ángulo de 90°.

(04) Inspira, y mientras expulsas el aire realiza un semicírculo hacia ambos lados, sin que la parte superior de los brazos se separe del tronco. Durante la inspiración, vuelve a la posición inicial. Repite diez veces.

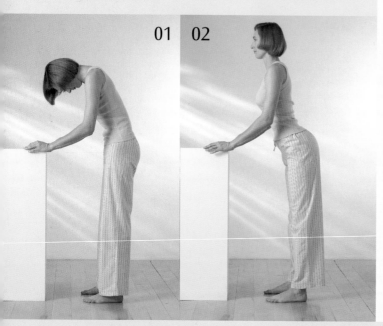

01   02

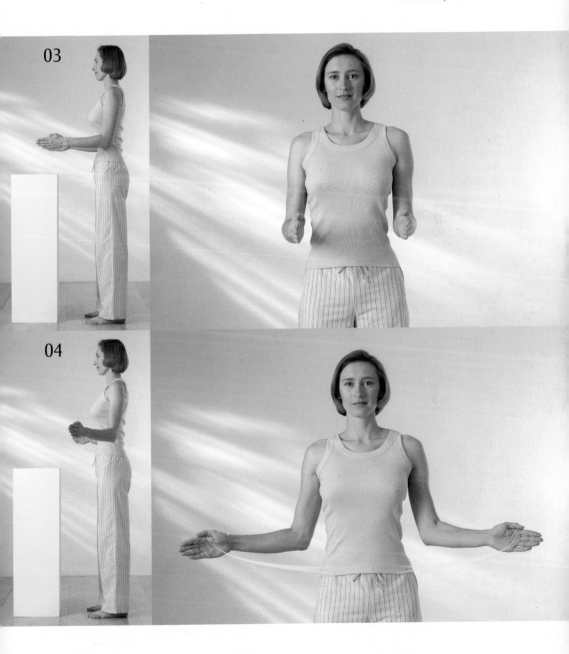

03

04

CÓMO LAVARSE LOS DIENTES

(01) Mal. No te inclines hacia delante con los hombros encorvados, como en la fotografía.

(02) Mantén la espalda recta, y adelanta una pierna un poco más que la otra. Inclínate hacia delante desde la cintura.

CÓMO LAVARSE EL PELO

Si tienes la espalda delicada y no puedes inclinarte sobre un lavabo, recurre a la ducha o arrodíllate frente a la bañera y usa un dispositivo de mano. Procura tener la toalla cerca.

(03) Si tu espalda es fuerte, mantén las rodillas ligeramente flexionadas mientras inclinas el tercio superior del cuerpo y contraes los abdominales. Lávate el pelo y enjuágalo completamente; al final, quítale el exceso de agua a mano. Coge la toalla y enróllala alrededor de tu cabeza mientras continúas inclinada. Al enderezarte, mantén las rodillas flexionadas y estíralas sólo después de haber adoptado la posición vertical. Si tienes una mano libre y necesitas más equilibrio, cógete de uno de los lados del lavabo.

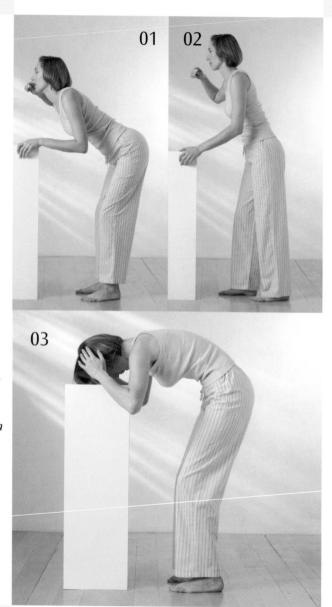

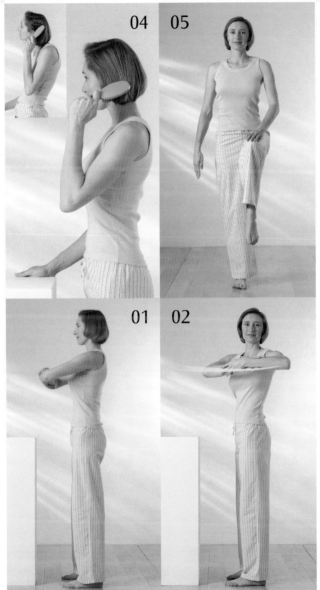

04 05

01 02

CÓMO CEPILLARSE EL PELO

(04) Mantén la espalda y las rodillas rectas, y los músculos del estómago contraídos. No desplaces la cabeza hacia atrás ni encorves los hombros para resistir el tirón del cepillo.

PRÁCTICA DE EQUILIBRIO *(05)*

Si tienes problemas para mantenerte de pie en una sola pierna, ponte un par de calcetines y practica este sencillo ejercicio.

(05) Inspira, y mientras espiras mantén todo el peso de tu cuerpo con una pierna, concretamente en el centro del pie. Levanta la otra rodilla, con la palma sobre el muslo. Siente que la pierna se estira. Cambia de extremidad.

EL COSACO DE PIE *(01-02)*

Para aflojar la espalda y mejorar la flexibilidad general.

(01) De pie, con los pies paralelos y ligeramente separados, cógete los antebrazos sobre el pecho, pero separados del tronco.

(02) Inspira, y mientras espiras gira el tercio superior del cuerpo hacia la izquierda. Inspira, y al espirar regresa a la posición inicial. Repite para el lado derecho.

ROTACIÓN DE BRAZOS

Para aflojar el hombro y mejorar la movilidad de la articulación. Se trata de un ejercicio excelente para quien tenga restringida la movilidad en dicha parte del cuerpo.

(01) De pie y situada lateralmente en relación con el lavabo, sujétate al mismo con una mano. Mantén los pies separados y uno frente al otro. La pierna frontal debería estar un poco flexionada. Con la espalda blanda y flexible («metiendo» los músculos del estómago), inclínate hacia abajo y deja que una mano caiga libremente. Siente el peso del brazo. Inspira, y mientras echas el aire realiza ligeros movimientos circulares con la mano. Repite con la otra.

RECORDATORIOS PILATES

■ Mantén los músculos del estómago contraídos durante todo el ejercicio.
■ Usa la inspiración para prepararte.
■ Realiza la acción mientras espiras.

01

01

02

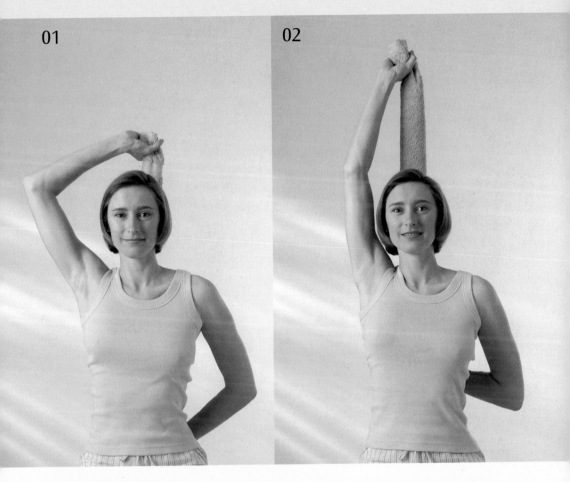

ESTIRA LA TOALLA (01-02)
Para aflojar los hombros y de ese modo tener un mejor acceso a las cremalleras posteriores.

(01) Sujeta una toalla pequeña detrás de ti, un extremo con cada mano. Inspira, y mientras espiras tira de la toalla hacia abajo con la mano izquierda.

(02) Inspira de nuevo, y mientras expulsas el aire tira de la toalla hacia arriba con la mano derecha. Inspira y regresa a tu posición inicial. Repite el ciclo diez veces.

01

02

DURANTE EL DESAYUNO

Comprueba tu postura mientras estás sentada a la mesa del desayuno.

CÓMO SENTARSE CORRECTAMENTE

(01) Sentarse «desplomada», como en la fotografía, es una mala forma de comenzar el día. Los hombros están encorvados y los pies se han girado hacia dentro.

(02) Siéntate con las nalgas bien atrás, los muslos formando ángulos rectos y la espalda recta. Contrae los músculos del estómago. Apoya completamente los dos pies sobre el suelo y paralelos entre sí. Descansa las manos sobre los muslos. Practica algunos ejercicios para el suelo pélvico (véase página 129).

CONTRACCIÓN DE HOMBROS (03-04)

Para relajar la tensión del tercio superior de la espalda.

(03) Deja que los brazos caigan flojos y mantén las rodillas ligeramente separadas con los pies paralelos entre sí. Asegúrate de que los hombros estén relajados. Véase paso 05.

(04) Inspira mientras encoges los hombros hacia arriba. Espira al bajarlos. Repite esta acción tres o cuatro veces.

«PRESS» DE BRAZOS (05-06)

Para flexionar los dorsales y mejorar tu postura mientras estás sentada. Mantén contraídos los músculos del estómago.

(05) Con los brazos flojos a ambos lados del tronco y las palmas ligeramente hacia afuera, inspira.

(06) Mientras espiras, mueve el brazo izquierdo hacia atrás lo máximo que puedas, pero sin forzarlo. Inspira mientras haces que vuelva a su posición inicial. Repite del mismo modo con el brazo derecho. Haz cuatro movimientos de cada lado.

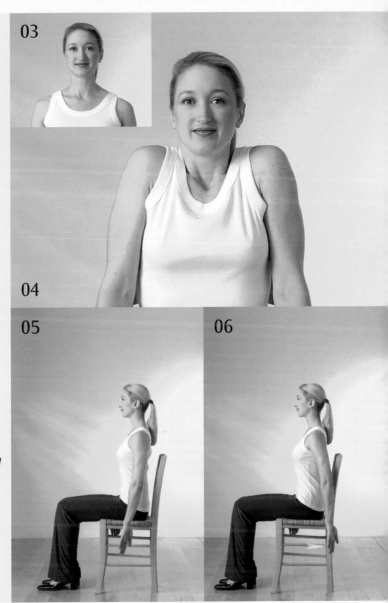

03

04

05

06

EL COSACO

(07) Cruza los brazos frente al torso. Elonga la columna y contrae los músculos del estómago. Siente el peso de los omóplatos mientras trabajan.

(08) Inspira, y mientras expulsas el aire mira hacia la derecha. Inspira mientras regresas al centro. Repite para el otro lado. Haz el ejercicio cuatro veces de cada lado.

EN EL FREGADERO
DE LA COCINA *(01-04)*
Usa los momentos que pasas frente al fregadero para mejorar tu postura.

CONTRACCIÓN DE NALGAS

(01) De pie y en posición recta, haciendo presión con las manos hacia abajo, rota los pies ligeramente hacia fuera. Inspira, y mientras espiras «mete» hacia dentro los músculos del estómago y contrae la musculatura de las nalgas.

ELEVACIÓN DE TALONES

(02) Con los pies paralelos, inspira. Mientras espiras, levanta los talones y suavemente bájalos de nuevo. Repite diez veces.

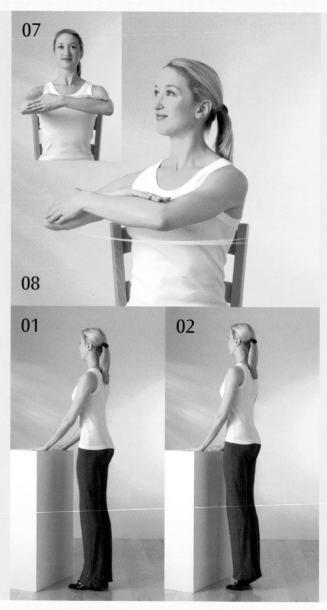

TENDONES DEL HUESO POPLÍTEO

(03) Flexiona la pierna izquierda y extiende la derecha. Inspira, y mientras espiras inclina el torso hacia delante con la espalda recta. Siente que los tendones del hueso poplíteo se estiran. Cambia de pierna y repite.

ESTIRAMIENTOS LATERALES

(04) Mientras te sujetas al fregadero con la mano derecha y estiras la otra hacia arriba, inspira. Durante la espiración, flexiona la rodilla derecha e inclínate estirando el brazo izquierdo por encima de tu cabeza. Repite del otro lado.

RECORDATORIOS PILATES

- *Mantén los músculos del estómago contraídos durante todo el ejercicio.*
- *Usa la inspiración para prepararte.*
- *Ejecuta la acción mientras espiras.*

CAPÍTULO TRES

Viajar con Pilates

La mayoría de nosotros viajamos tanto por trabajo como por placer y, a pesar de que trasladarse de un sitio a otro no debería suponer ningún problema, lo cierto es que puede convertirse en una experiencia incómoda y estresante. Sin embargo, cuentas con ayuda. Pilates es un sistema de ejercicios altamente «transportable» que puedes utilizar en cualquier momento y en cualquier lugar para aliviar las molestias y el estrés que provocan los viajes.

Ya estés dando un paseo en dirección a las tiendas de tu barrio o te hayas embarcado en un extenso viaje al otro lado del mundo, son miles los modos en que Pilates puede ayudarte a facilitar este aspecto de tu vida y a hacerlo más cómodo, seguro y menos estresante. En este capítulo analizamos las formas de viajar más frecuentes: a pie, en coche, en tren y en avión.

Cuando estás dando un simple paseo, unos instantes de concentración y un poco de conciencia de lo que haces, sobre todo en el caso de que estés cargando maletas, pueden evitar el desarrollo de problemas posturales. Dentro de un coche, quizás en medio de un atasco, cuentas con algunos minutos para practicar ejercicios muy relajantes, como girar y encoger los hombros; y cuando cuentas con más tiempo, practicar algunos estiramientos Pilates puede marcar la diferencia, en especial si te espera un viaje prolongado. Los traslados en tren pueden resultar frustrantes, pero adoptar la postura correcta cuando te encuentras de pie en un vagón oscilante te ayudará a tranquilizarte y te mantendrá ocupada durante cualquier retraso inesperado. Y durante un prolongado viaje en avión puedes recurrir a varios ejercicios Pilates que mantendrán tu circulación en buenas condiciones y tu mente relajada.

Por último, sugerimos una beneficiosa rutina Pilates para el hotel que puedes llevar a cabo en la habitación, y que te ayudará a centrarte mientras te encuentras lejos de casa. Además, te preparará y calmará si tienes que asistir a importantes reuniones o desempeñar funciones relevantes. Recuerda que no necesitas equipamiento ni ropa especial, simplemente puedes usar cualquier objeto y mueble que tengas a mano.

Andar

Andar es el modo más sano de trasladarse de un sitio a otro, y si das un buen paseo a paso ligero de aproximadamente quince minutos de duración varias veces a la semana o, si fuera posible, todos los días, te mantendrás sana y en buen estado físico. Cualquiera que sea la distancia que estés cubriendo, es importante que lleves un calzado cómodo y apropiado de tacón bajo, con el que sepas que puedes recorrer largas distancias. Las plataformas, los zapatos sin talón, los de tacones altos y los zuecos no son convenientes. Si al trabajo debes llevar zapatos elegantes y delicados, póntelos sólo al llegar a tu despacho; para desplazarte usa otros. Tu calzado debería permitir que los pies se movieran con soltura, y deben tener suelas no demasiado rígidas o inflexibles, ya que provocarían un esfuerzo innecesario de los músculos situados en la parte inferior de las piernas.

Si cargas bolsas con libros o con la compra debes hacerlo con especial cuidado, ya que si sueles transportar bolsas muy pesadas siempre del mismo lado puedes dañarte la espalda o los hombros. Una mochila debidamente ajustada, con *las dos* correas puestas y no sólo una, posiblemente representa la mejor solución.

CONSEJOS GENERALES
- Para mejorar tu condición física general, saca el máximo provecho de los miles de pasos que das a diario.
- Dar un paseo de unos quince minutos diarios a paso ligero te mantendrá en buen estado físico y bien ejercitada.
- Apéate del autobús o del tren un poco antes para dar una buena caminata todos los días.

POSICIÓN AL CAMINAR
Mientras das un paso, céntrate en usar todo el pie, desde los talones hasta los dedos. Tu centro de gravedad debería pasar por el frente del talón.

01

02

CÓMO TRANSPORTAR BOLSAS

(01) Evita cargar una única bolsa pesada, ya que al hacerlo causas tensión en el codo y el cuello, las caderas dejan de estar centradas y el esfuerzo se traslada al tercio inferior de la espalda. Si no puedes repartir el peso, cambia de lado con frecuencia.

(02) Carga dos bolsas del mismo peso para que el cuerpo esté equilibrado. O usa una mochila, con las dos correas ajustadas a la espalda.

En el coche

Las diversas marcas de coches del mercado presentan múltiples estilos de asientos ajustables, así que verifica que tu asiento se encuentre a la altura y el ángulo apropiados para ti, y a la distancia correcta de los pedales. Asegúrate de que puedas ver bien por el espejo retrovisor sin verte obligada a estirarte, inclinarte o mover la cabeza. Evita girar el cuerpo para coger algo del asiento trasero, y siempre mantén las dos manos sobre el volante. Si te resulta beneficioso, puedes usar un respaldo que alivie la tensión de la espina lumbar y reduzca el riesgo de sufrir dolores de espalda. Cuando realices un viaje prolongado, efectúa varias paradas (al menos cada dos horas) para recuperar la concentración y eliminar la tensión de los hombros, las caderas y los músculos de la columna. Si puedes, deja tu puesto a otro conductor y descansa.

ATASCO *(01-05)*
Con el freno puesto y el motor en punto muerto, siéntate con las nalgas lo más próximas posibles a la parte posterior del asiento y la espalda completamente apoyada.

(01) Inspira, y mientras espiras encoge los hombros hacia las orejas. Repite diez veces.

(02) Inspira. Durante la espiración contrae los músculos del estómago. Contén la respiración mientras cuentas hasta cuatro y relájate. Intenta mover la pelvis. Cogiendo el volante con ambas manos, estira la columna y mece la pelvis, primero hacia delante y después hacia atrás. Luego realiza algunos ejercicios para el suelo pélvico (véase página 129) moviendo dicha zona hacia arriba, en dirección a las costillas.

(03-05) Ahora, aún con ambas manos al volante, practica algunos ejercicios de rotación de hombros. Inspira, y mientras espiras rota los hombros hacia delante y luego hacia atrás (esta última acción no aparece en las fotografías). Rótalos de nuevo para hacerlos volver al frente. Repite diez veces.

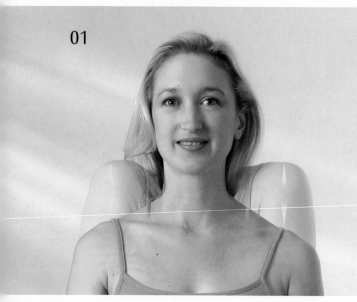

01

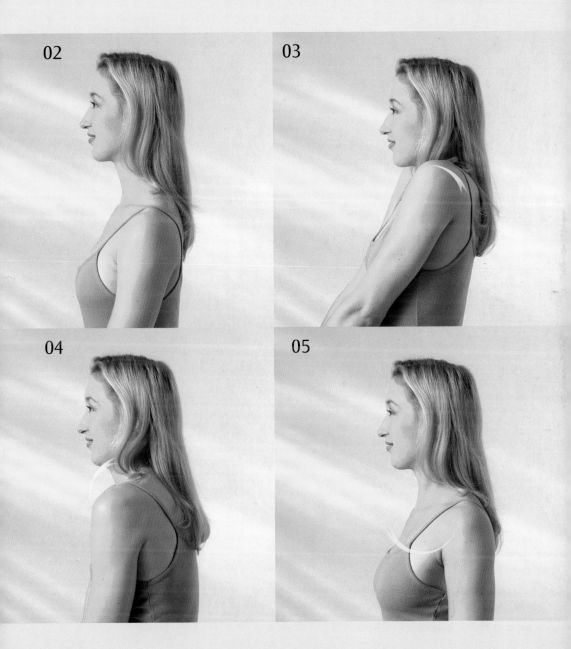

01

02

DESCANSO EN LA CONDUCCIÓN

No intentes conducir durante más de dos horas sin descansar debidamente. Detente en un sitio apropiado a tales efectos y sal del coche para caminar un poco y estirar las piernas. Lo ideal es que tomes un tentempié y un refresco, o una taza de café. Si puedes, duerme una breve siesta (de diez a quince minutos).

ESTIRAMIENTOS «DEL GATO»

(01) Aferrándote a uno de los lados del automóvil, realiza algunos estiramientos «del gato». Con los muslos unidos y el estómago contraído, inspira, curva la columna y deja caer la cabeza hacia abajo.

(02) Mientras espiras, arquea la espalda y levanta nuevamente la cabeza.

03

04

ESTIRAMIENTOS DE PANTORRILLA

(03) Con las manos sobre uno de los lados del coche, coloca la pierna derecha frente a la izquierda, con la rodilla flexionada y el talón apoyado en el suelo. Inspira, y durante la espiración inclínate suavemente hacia delante, sintiendo el estiramiento de la parte posterior de la pantorrilla izquierda. Repite con la otra pierna.

ESTIRAMIENTOS DE LOS TENDONES DEL HUESO POPLÍTEO

(04) Apoya una mano sobre uno de los lados del coche, cruza la pierna izquierda sobre la derecha y mantenlas ambas rectas. Cógete la pierna izquierda con la mano de ese mismo lado e inclina el torso hacia delante, dejando caer la cabeza. Inspira, y mientras expulsas el aire siente el estiramiento de las partes posteriores de las piernas. Cambia de pierna y repite.

El viaje en tren

El viaje en tren puede convertirse en una experiencia desagradable. Los trenes suelen ir abarrotados, no encuentras sitio donde sentarte y, por lo general, tienes que soportar retrasos prolongados e inesperados. Emplea entonces esos momentos para practicar algunos ejercicios Pilates. Si en la estación tienes que usar una escalera mecánica, aprovecha la oportunidad para hacer algunos ejercicios aeróbicos y estiramientos de pantorrillas.

Si tienes la suerte de conseguir asiento, siéntate apoyando ambos pies completamente sobre el suelo, y no caigas en la tentación de cruzar las piernas (véase también la posición correcta en la página 50). Acomódate bien en el asiento, con la espalda apoyada por completo en el respaldo; «mete» los músculos del estómago y mantén los hombros relajados. Si tienes que viajar de pie, cógete a un pasamanos sólido e intenta relajarte siguiendo el ritmo del tren. No intentes prepararte para oponer resistencia a dicho movimiento. Coloca tu equipaje en un lugar seguro, pero si tienes que viajar con el bolso en la mano cámbialo de una a otra a intervalos regulares.

CONSEJOS GENERALES

- No cometas el error de viajar de pie en una postura desgarbada, desequilibrando la cadera (véase fotografía 01, en ángulo superior derecho).
- Apoya los dos pies firmemente sobre el suelo (fotografía 02), de modo que el peso de tu cuerpo se distribuya uniformemente. Mantén las rodillas rectas, aunque no trabadas. Contrae ligeramente los músculos de las nalgas para conseguir un mejor equilibrio y mete hacia adentro los músculos del estómago.
- Para relajarte, coloca un pie frente a otro, con la rodilla frontal ligeramente flexionada y la otra recta. Mantén la cadera nivelada.

01

02

El viaje en avión

El viaje en avión suele representar la forma más eficaz de cubrir distancias con rapidez, y por ese motivo es utilizado por millones de personas al día, tanto para grandes recorridos como para trayectos cortos, y bien por trabajo o por placer. Sin embargo, el hecho de volar conlleva una seria amenaza para la salud. Usa el método Pilates y los consejos generales que proponemos en esta página para minimizar los efectos colaterales de los viajes aéreos y conseguir que el traslado sea lo más cómodo y agradable posible. Los ejercicios Pilates pueden ayudarte a superar los problemas relacionados con el hecho de permanecer sentada inmóvil durante mucho tiempo en un espacio reducido. Uno de los mayores riesgos para la salud es la trombosis venosa profunda (DVT): la inactividad produce que la circulación sea más lenta; por consiguiente, la sangre se estanca en ciertas áreas, en particular las piernas, y se forman coágulos. Si uno de ellos circula hasta el corazón o el cerebro, puede resultar letal (véase también página 69).

CONSEJOS GENERALES

- Bebe mucha agua para mantenerte hidratada. El alcohol es un diurético y provocará una deshidratación más intensa. Llévate tu propia botella de agua mineral de dos litros.
- Evita comer aperitivos salados y comida «basura», porque la sal provoca retención de líquidos y eso hace que los pies, las piernas y los tobillos se hinchen, un efecto que también se repite en los ojos.
- Opta por los zapatos planos y la ropa suelta. Los cinturones ajustados restringen la respiración y la circulación.
- Coge un vaporizador y rocíate la cara cada cierto tiempo para evitar que la piel se seque.
- Camina por el avión cada dos horas.

CÓMO SENTARSE CORRECTAMENTE
(no ilustrado; véase página 50)
Siéntate con los dos pies completamente apoyados en el suelo. Si tienes piernas largas, pide un asiento de pasillo. No cometas el error de cruzar las piernas o de encogerlas, porque esto impedirá la buena circulación sanguínea. Siéntate recta, de modo que la columna se mantenga erguida y tu peso se equilibre sobre las dos nalgas de forma equitativa. Mantén los hombros relajados. Contrae los músculos del estómago y realiza algunos ejercicios para el suelo pélvico (véase página 129).

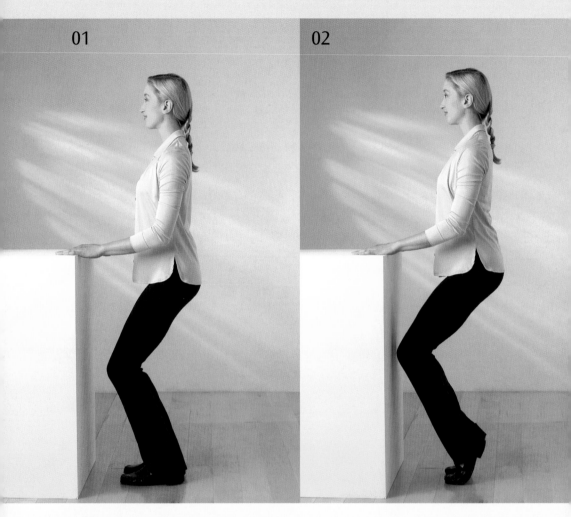

01

02

USA EL ASIENTO DEL AVIÓN *(01-06)*
Levántate y dirígete a la parte posterior del avión. Busca un asiento vacío, pero si no encuentras ninguno, recuerda pedir permiso al ocupante del que escojas para trabajar.

(01) Coge el respaldo con las rodillas flexionadas.

(02) Contrayendo el estómago y manteniendo la espald
derecha y las rodillas flexionadas, inspira y elévate sol
los dedos de los pies. Mantén la postura unos segundo

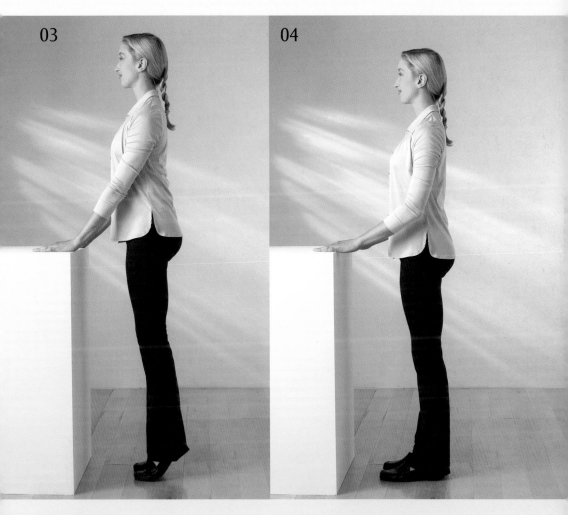

(03) Espira y estira las rodillas, pero sigue en puntas de pies.

(04) Inspira y apoya los pies completamente sobre el suelo, con la espalda derecha y asegurándote de que el hueso caudal apunte hacia el suelo. Repite la secuencia diez veces.

05

06

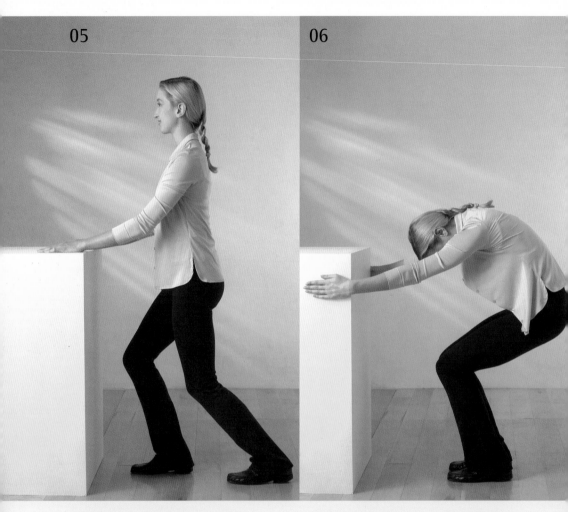

ESTIRAMIENTO DE PANTORRILLAS

(05) Coloca una pierna detrás de otra; inspira, y mientras expulsas el aire flexiona la rodilla posterior, manteniendo la espalda recta. Siente el estiramiento en la pantorrilla de atrás. Mantén la postura durante cinco segundos.

ESTIRAMIENTO DEL TERCIO INFERIOR DE LA ESPALDA

(06) Inspira con las piernas y los pies juntos, sujetándote al respaldo del asiento, y mientras espiras flexiona las piernas hasta adoptar una postura de semicuclillas. Inspira y regresa a la posición inicial.

01

02

IMPULSOR DE LA CIRCULACIÓN

(01-02) Tumbada boca arriba en la parte posterior del avión o bien en el pasillo, asegúrate de no provocar molestias a los demás pasajeros ni de causar obstrucción alguna. Coloca los brazos a ambos lados del cuerpo y contrae los músculos del estómago. Inspira, y mientras espiras levanta las piernas, con las rodillas juntas. Ahora «patea» con una y otra pierna, lo más rápidamente que puedas, hasta que percibas su cansancio. Procura que las rodillas siempre se mantengan juntas.

01

ROTACIÓN DE HOMBROS Y ESTIRAMIENTOS DE CUELLO

Si queda suficiente sitio a ambos lados de tu cuerpo mientras estás sentada en tu asiento, tócate los hombros con las puntas de los dedos. Si no, rota los hombros con las manos sobre los muslos.

CÍRCULOS (no ilustrado)

Eleva los hombros hacia las orejas y luego rótalos hacia delante y atrás.

ESTIRAMIENTOS (01)

Si estás viajando con un compañero(a), realiza el ejercicio de la página 123, pero si estás sola efectúa estos estiramientos de cuello. Mantén el cuello estirado y los hombros relajados en todo momento. Mueve la cabeza lentamente hacia un lado, y luego regresa a la posición inicial. A continuación, ejercita el otro costado. Repite varias veces. Para flexionar más el cuello, inclina la cabeza cuando llegues a cada lado (como se aprecia en la fotografía), procurando que los hombros no se muevan.

ROTACIÓN Y BALANCEO DE PIES

Resulta vital mantener la circulación en los tobillos y la parte inferior de las piernas.

(01) Para balancear los pies, siéntate de nuevo en tu asiento y, si tienes espacio, coloca una almohada bajo uno de tus muslos, justo encima de la rodilla. Flexiona el pie hacia arriba y hazlo bajar de nuevo. Repite con el otro.

(02) Rota los pies en ambas direcciones, repitiendo la acción diez veces con cada uno.

MEDIAS DE VIAJE

Intenta usar un par de medias de viaje elastizadas, ya que su función consiste en ejercer distintas presiones sobre diferentes partes de la pierna y, de esa forma, incrementar el flujo sanguíneo hacia el corazón. Esta simple medida puede ayudar a evitar la trombosis venosa profunda (DVT). Las medias resultan particularmente efectivas si tienes más de cuarenta años y si tu vuelo dura más de cuatro horas.

ADVERTENCIA

No uses esta clase de medias si sufres de alguna enfermedad arterial o eres diabética.

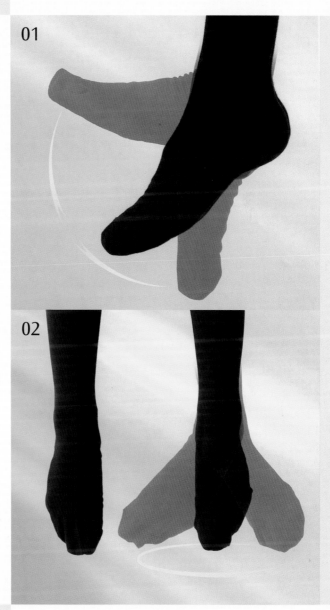

01

02

En la habitación del hotel

Algunas personas se estresan al viajar y no les apetece en absoluto estar fuera de su casa. Si ya practicas una rutina regular de ejercicios Pilates en tu casa (véanse páginas 39-43 u 89-101), prueba esta serie de actividades especialmente concebidas para el hotel, ya que facilitarán tu adaptación a permanecer alejada de tu domicilio y te permitirán sobrellevar cualquier situación complicada que se te presente.

Puedes llevar a cabo la rutina Pilates para el hotel cuando te resulte más cómodo. Si durante la mañana tienes mucha prisa, hazla por la noche, antes de salir o bien en los minutos previos a irte a dormir. Si te encuentras en viaje de negocios, puedes hacerla para calmarte y centrarte antes de asistir a una reunión importante o de realizar una llamada telefónica difícil.

RUTINA PILATES PARA EL HOTEL (01-25)

«EL GATO» (01-02)
Para movilizar la columna y trabajar los músculos del estómago. Ponte en cuatro patas, con los hombros y la cadera en línea recta. Es posible que tengas que ajustar la posición de los brazos para mantener la curvatura natural de la columna.

(01) Mientras inspiras, comenzando el movimiento desde la pelvis y el estómago, curva la columna hacia el techo, «hundiendo» la cabeza hacia el suelo.

(02) Luego espira, y lentamente forma un arco con la espalda, sustentándote con los músculos del estómago. Procura que los brazos estén rectos, los hombros relajados y el cuello estirado. Repite diez veces.

POSICIÓN DE DESCANSO
(03) Apóyate en los talones y descansa la cabeza sobre el suelo, estirando los brazos. Permanece en esta posición hasta tres minutos, respirando profundamente.

01

FLEXIÓN DE ABDOMINALES *(04-05)*
Para fortalecer todos los músculos del estómago.

(04) Comienza el ejercicio sentada, con los brazos paralelos al suelo. Si lo deseas y necesitas un mejor apoyo, puedes «trabar» los pies debajo de algún mueble.

(05) Inspira, y mientras expulsas el aire baja lentamente el cuerpo hacia el suelo, usando los abdominales para controlar tu curvatura. Siente el cóccix deslizándose hacia los talones. Si te has quedado sin aire inspira rápidamente y continúa espirando. Descansa unos segundos. Levántate para adoptar de nuevo la posición inicial, usando las manos si fuera necesario. A medida que te fortalezcas, intenta regresar a la posición inicial sin usar las manos ni tensar la espalda.

04

05

06

07

ABDOMINALES OBLICUOS

Importantes para sustentar la pelvis y la espalda y facilitar los giros de un lado al otro.

(06) Túmbate en el suelo y coloca los pies sobre la cama o una silla, o incluso sobre un taburete de una altura adecuada. Apoya la cabeza sobre una almohada, colocando la mano izquierda debajo de la cabeza y la derecha sobre el estómago.

(07) Inspira, y mientras espiras contrae los músculos del estómago. Levanta la parte superior del torso y desplázate en diagonal hacia la rodilla izquierda, pasando junto a ésta con la mano derecha. Regresa a la posición de descanso. Luego cambia de lado y repite. Haz esta secuencia unas diez veces.

08

09

CONTRACCIÓN DE GLÚTEOS *(08-09)*
Para fortalecer los glúteos, ayudar a
sustentar la pelvis y aportar más fuerza
al tercio inferior de la espalda.

(08) Tumbada boca arriba, con los pies
apoyados sobre el suelo, flexiona las rodillas
a 90°. Coloca los brazos a ambos lados

del cuerpo, con las palmas hacia abajo.

(09) Inspira; al espirar, levanta la cadera
sin torcer la pelvis y contrae los músculos
de las nalgas. Cuenta hasta cuatro y, poco
a poco, baja de nuevo, aflojando los
músculos de las nalgas y manteniendo el
torso extendido y abierto. Repite diez veces.

10

11

CONTRACCIÓN DE NALGAS

(10) Coloca una almohada bajo tu estómago y apoya la frente sobre las manos. Inspira, y mientras expulsas el aire contrae los músculos de las nalgas. Imagina que los huesos sobre los que «te sientas» llegan a unirse. Cuenta hasta cuatro. Inspira y relájate. Repite diez veces.

TENDONES DEL HUESO POPLÍTEO

(11) Inspira, y mientras espiras flexiona lentamente la pierna izquierda desde la rodilla, hacia la nalga, hasta formar un ángulo de 90°. Mantén el talón en una línea central. Inspira y baja el pie. Cambia de pierna y repite diez veces con cada una.

ADUCTORES

Para tonificar los músculos de la cara interna de los muslos.

(12) Sentada en el suelo, contra un lado de la cama si necesitas más apoyo, separa bien las piernas y flexiona la rodilla derecha, sujetándola con la mano del mismo lado. Flexiona los pies. Relaja los hombros y el cuello. Inspira, y mientras espiras desliza tu pierna libre hacia la flexionada. Inspira para regresar a la posición inicial. Haz el ejercicio diez veces con cada pierna.

CONTRACCIÓN DE HOMBROS

Para aflojar el cuello y los hombros.

(13) Sentada en una silla o un taburete, realiza algunos ejercicios para el suelo pélvico (véase página 129), y luego efectúa algunas contracciones de hombros simultáneas. Inspira mientras los elevas y espira al bajarlos.

ROTACIÓN DE HOMBROS

(14) Coloca las puntas de los dedos de las manos sobre los hombros y rótalos varias veces. Mientras inspiras gira los codos hacia delante y mientras espiras, hazlo hacia atrás (como en la fotografía). Imagina que estás dibujando círculos con los codos sobre pizarras colocadas a ambos lados de tu cuerpo.

14

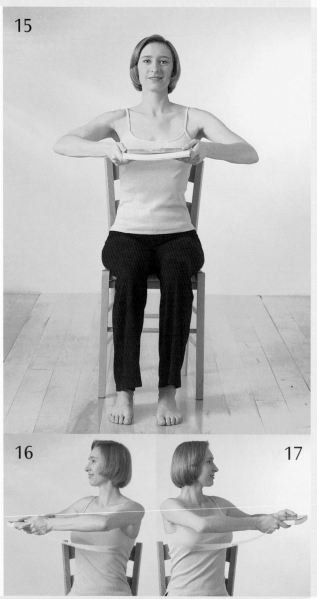

EL COSACO

(15) Sentada, sujeta un libro frente a ti, con los codos alejados del cuerpo.

(16) Inspira, y mientras espiras rota el libro hacia la derecha.

(17) Inspira y regresa a la posición inicial. Espira y rota el libro hacia la izquierda.

ESTIRAMIENTO DE LA PARTE SUPERIOR DEL TORSO

(18) Tumbada boca arriba, con las rodillas elevadas, cógete los brazos frente a ti.

(19) Inspira, y mientras despides el aire baja el codo izquierdo hacia el suelo, de ese mismo lado. Inspira, y al espirar vuelve a la posición inicial; repite hacia el otro lado. Continúa repitiendo la acción de lado a lado.

(20) (continuación) Comienza como en el paso 18. En lugar de llevar los brazos al centro, rótalos hacia la parte superior de tu cabeza, lo más cerca del suelo que te sea posible. Piensa que estás dibujando un semicírculo sobre el suelo.

18

19

20

EL MOLINO *(21-23)*

(21) Tumbada boca arriba, con las rodillas flexionadas, la espalda recta y los músculos del estómago ligeramente contraídos hacia el suelo, levanta ambos brazos hacia el techo.

(22) Inspira, y mientras expulsas el aire estira el brazo derecho por encima de la cabeza y baja el izquierdo hacia tu cuerpo. Inspira para volver a colocar ambos brazos en posición vertical.

(23) Espira, baja el brazo derecho hacia un costado y levanta el izquierdo por encima de la cabeza. Alternando los brazos, repite diez veces la secuencia.

21

22

23

TALÓN CONTRA LA PARED *(24-25)*
Para estirar los tendones del hueso poplíteo.

(24) Apoya un talón contra la pared mientras sujetas la toalla. Al inspirar, presiona el talón contra el muro, cuenta hasta cuatro y levanta la cabeza, los hombros y la parte superior del cuerpo hasta despegarlos del suelo. (Puede hacerse sin curvar el extremo superior del torso hacia adelante.)

(25) Mientras espiras, empuja hacia arriba con el talón y mantén la pierna recta, al tiempo que el torso, la cabeza y los hombros descienden hasta el suelo. Cambia de pierna y repite diez veces con cada una.

CAPÍTULO CUATRO

Pilates
en el trabajo

Independientemente de la actividad laboral que realices, ya sea en tu casa o en una oficina, el método Pilates puede ayudarte a fortalecer y tonificar tu cuerpo usando simples ejercicios que puedes efectuar en cualquier momento del día. Simplemente, tómate unos instantes para centrarte en tu respiración y tu postura, y te sentirás más preparada para realizar tu trabajo.

Este capítulo está dividido en dos partes principales: el trabajo físico que hacemos en casa, y las posturas y situaciones físicas más comunes que encontramos en la oficina.

La primera parte se refiere al tipo de tareas que necesitas hacer en casa, como pasar la aspiradora o sacar objetos pesados del horno. La mayoría de las personas lo hacen deprisa y están demasiado «aceleradas» como para detenerse a pensar cómo están moviendo y manipulando estos elementos. No es de extrañarse entonces que estas acciones nos expongan a un serio riesgo, por ejemplo cuando nos inclinamos hacia delante con las rodillas rectas en lugar de flexionarlas ligeramente, una opción mucho más correcta, segura y saludable. La rutina Pilates para la casa apunta a tonificar y fortalecer todas las partes del cuerpo que resultan necesarias para llevar a cabo las tareas domésticas más frecuentes; también pretende evitar los daños físicos.

La segunda parte del capítulo hace referencia a los problemas originados en la oficina, como los peligros que suponen las lesiones producidas por un esfuerzo repetitivo y las dificultades posturales causadas por permanecer inmóvil frente a una pantalla de ordenador durante largos períodos; además, enseña a usar el teléfono de forma segura.

También existe una beneficiosa rutina Pilates para la oficina que puedes hacer en tu despacho, tanto sola como con otra persona que actúe como compañero o compañera de ejercicio; de esta forma, ambos podréis beneficiaros de sus efectos. Estas actividades incluyen varios ejercicios relajantes para eliminar el estrés que requieren de elementos muy comunes, como las sillas de la oficina, las mesas y las botellas de agua mineral, que seguramente tienes a mano.

Pilates para las tareas domésticas

Las actividades físicas relacionadas con las tareas domésticas incluyen diversas acciones, como flexionar, levantar, estirar, tirar o empujar. Muchos de los trabajos que realizamos en casa requieren una combinación de todos esos movimientos. Lo normal es que los llevemos a cabo a toda prisa, simplemente para acabar con ellos de una vez y poder dedicarnos a una actividad más atractiva. Pero, por desgracia, resulta muy fácil lesionarse; por ejemplo, al levantar un mueble de forma incorrecta. Por eso, si te tomas el tiempo necesario para realizar el trabajo con un poco más de tranquilidad, puedes usar el método Pilates para que estos movimientos resulten potencialmente menos perjudiciales para tu cuerpo y más

ASPIRADO NORMAL
(01-02)
Intenta no trabajar con prisas, y realiza movimientos lentos y rítmicos en lugar de acciones agresivas.

(01) Ésta es la forma incorrecta de aspirar, y muchas personas se dañan la espalda por hacerlo de este modo. La espalda está doblada y encorvada, lo que provoca que la línea central natural del cuerpo se pierda. Las piernas están rectas, con lo cual el esfuerzo es aún mayor.

(02) Así es como se debe pasar la aspiradora. Flexiona una rodilla y soporta el peso de tu cuerpo sobre ella. Realiza un movimiento corporal «global» en lugar de efectuar sólo un movimiento con el brazo. Inspira, y usa la espiración para alejar el aparato de ti. Contrae los músculos del estómago. Inspira y vuelve a acercar la máquina a tu lado.

01

02

sencillos de llevar a cabo, porque te fortalecerán y tonificarán. También disfrutarás más cumpliendo con tus quehaceres y te beneficiarás de la actividad física.

PASAR LA ASPIRADORA (MODELOS DE CILINDRO)

Esta tarea supone una combinación de varios movimientos: doblar, empujar y tirar. Tienes que aplicar presión para empujar el dispositivo por la alfombra y posiblemente tienes que agacharte para limpiar debajo de los muebles. Los modelos de cilindro son más difíciles de manipular que las versiones verticales, porque la reacción natural consiste en doblar la espalda para conseguir aplicar suficiente presión.

ASPIRAR DEBAJO DE LOS MUEBLES

(03) Cuando necesites aspirar debajo de muebles bajos como las camas, no cometas el error de doblar el cuerpo con las rodillas rectas y la cabeza hacia abajo.

(04) Ponte en cuclillas o flexiona una rodilla. Inspira, y mientras expulsas el aire empuja el aparato para alejarlo de ti, contrayendo los músculos del estómago. Para atraer la aspiradora de nuevo hacia ti, inspira.

03

04

CÓMO MOVER LOS MUEBLES

Si estás sola, no muevas nada que te resulte demasiado pesado y te suponga un esfuerzo. Espera a que alguien pueda ayudarte. Si estás en condiciones de mover el mueble por ti misma, no te inclines hacia abajo; ponte en cuclillas o apóyate en una rodilla. Usa ambas manos y realiza los movimientos con lentitud.

ALCANZAR OBJETOS

Si no puedes alcanzar un determinado objeto con los pies apoyados completamente sobre el suelo, eso significa que se encuentra demasiado alto. No te estires más. Coge una escalera ligera y pequeña, o bien un taburete sobre el que puedas ponerte de pie. Procura que el objeto que quieres alcan-

LEVANTAR UNA CAJA PESADA

No emprendas la tarea inclinándote hacia delante con las piernas rectas y la espalda encorvada. Inspira, y mientras expulsas el aire flexiona las rodillas, dobla las piernas y coge la caja con ambas manos. Mantén la espalda recta y los músculos del estómago contraídos. Inspira, y mientras espiras estira las piernas, siempre con la espalda recta y el peso del cuerpo siguiendo una línea central.

MOVER UNA MESA

(no ilustrado)
No intentes mover una mesa tú sola. Este trabajo requiere, al menos, de dos personas. No te inclines hacia delante con la espalda encorvada y las piernas estiradas. Flexiona las rodillas, mantén la espalda recta y equilibra el peso corporal siguiendo una línea central. Inspira para levantar la mesa, contrayendo los músculos del estómago.

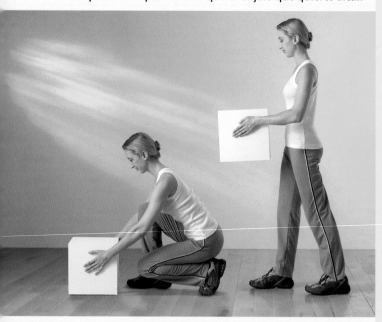

zar no sea demasiado pesado, ya que para bajarlo tendrías que inclinarte hacia atrás y podrías perder el equilibrio. Si estás cogiendo varios objetos distintos de un armario alto, trata de evitar levantarlos todos a la vez. Sepáralos en grupos y sube y baja las veces que sea necesario.

LEVANTAR PESO DESDE UN HORNO BAJO

Cuando coges una cazuela pesada que se encuentra en un horno bajo, te enfrentas a una situación potencialmente peligrosa. Actúa sin prisas, aunque tengas que hacer esperar a los comensales, y usa gruesos guantes para horno. Asegúrate de coger con firmeza tanto las asas como la tapa del recipiente.

PLANCHAR (01-02)
Verifica que la tabla de planchar se encuentre a la altura indicada para ti y que no te veas obligada a girar el cuerpo para alcanzar los elementos que necesites. Si te sientes cansada, baja la mesa y plancha sentada.

(01) Esta tabla de planchar se encuentra demasiado baja. La espalda se dobla y los hombros y el torso se encorvan, creando una postura muy incómoda que genera demasiada presión hacia abajo. El cuello y las manos están tensos, y eso hace más difícil mover la plancha.

(02) Cuando ajustas la tabla a la altura apropiada, el peso corporal se distribuye correctamente y la espalda se mantiene recta, con los hombros relajados. Deberías girar la pierna izquierda un poco hacia fuera. Contrae los músculos del estómago.

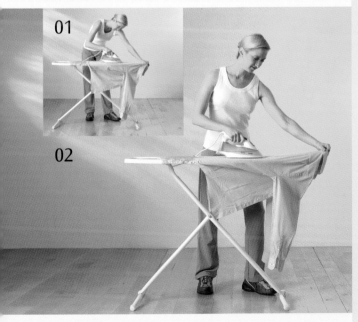

01

02

Cómo facilitar las tareas domésticas

La rutina Pilates para las tareas domésticas que presentamos en las próximas páginas (88-101) incluye todos los ejercicios que necesitas para fortalecer y tonificar tu cuerpo con el fin de que los principales quehaceres del hogar te resulten más sencillos y seguros. Tómate un descanso en tus actividades y realiza la rutina en cualquier momento del día, cuando lo consideres más conveniente.

CONSEJOS GENERALES
- Usa ropa amplia y cómoda.
- Dedica el tiempo que necesites a realizar las tareas domésticas con tranquilidad. No te apresures.
- Pilates ayuda a fortalecer los músculos apropiados.

RECORDATORIOS PILATES
- *Mantén los músculos del estómago contraídos en todo momento.*
- *Prepárate mientras inspiras.*
- *Ejecuta la acción mientras espiras.*

01

RUTINA PILATES PARA LAS TAREAS DOMÉSTICAS (01-32)

No tienes que realizar todas las actividades de una vez. Lo importante es que los ejercicios no acaben convirtiéndose en una faena más, así que lo más conveniente es que dividas la rutina en varias partes.

FLEXIÓN ABDOMINAL (01-02)

Este ejercicio te ayudará a fortalecer los abdominales. Mantener estos músculos fuertes te ayuda a soportar la espalda, cualquiera que sea la tarea que estés llevando a cabo en tu casa.

(01) Tumbada boca arriba con las rodillas elevadas y una toalla enrollada o un libro bajo la cabeza, sujeta un cojín pequeño entre tus rodillas para que ejercites la cara interna de los muslos y mantengas la pelvis estable. Procura que la parte superior de tu cuerpo se relaje y elimina cualquier tensión. Coloca ambas manos sobre los muslos.

(02) Inspira, y mientras espiras contrae el estómago. Gradualmente, «camina» sobre tus muslos con los dedos de las manos, procurando que la cabeza y los hombros se encorven y despeguen del suelo. Cuando hayas alcanzado la máxima distancia posible, inspira de nuevo, y mientras expulsas el aire contrae los músculos del estómago y vuelve lentamente hacia atrás. Repite la secuencia diez veces.

02

03

04

ABDOMINALES OBLICUOS *(03-04)*
*Para estabilizar la pelvis y el tercio inferior
de la espalda, y ayudarte a girar y torcer la
cintura sin correr riesgo alguno mientras
realizas las tareas domésticas.*

*(03) Túmbate boca arriba con las rodillas
elevadas y un cojín entre ambas, lo que te
obligará a usar los muslos mientras
mantienes la pelvis estable. Coloca una toalla
enrollada bajo tu cabeza o bien un libro.*

*Sitúa tus manos en la nuca, concretamente
bajo la línea de crecimiento del pelo. Separa
los codos del suelo.*

*(04) Inspira, y mientras expulsas el aire
contrae el estómago. Encorva la cabeza
y los hombros en diagonal hacia tu rodilla
izquierda. Inspira y regresa a la
posición de descanso. Repite hacia
el otro lado y realiza toda la secuencia
diez veces.*

05

06

VARIACIÓN DE ABDOMINALES
OBLICUOS (05-06)

(05) Repite el paso 03, que aparece en la página 90.

(06) Inspira, y mientras espiras contrae el estómago, y curva la cabeza y los hombros en diagonal hacia tu rodilla izquierda. Lentamente mueve la mano derecha para alejarla de la cabeza y estirarla hacia la rodilla, intentando elevarte un poquito más. Inspira, coloca la mano derecha nuevamente bajo la cabeza y regresa a la posición inicial. Alterna de lado y repite diez veces.

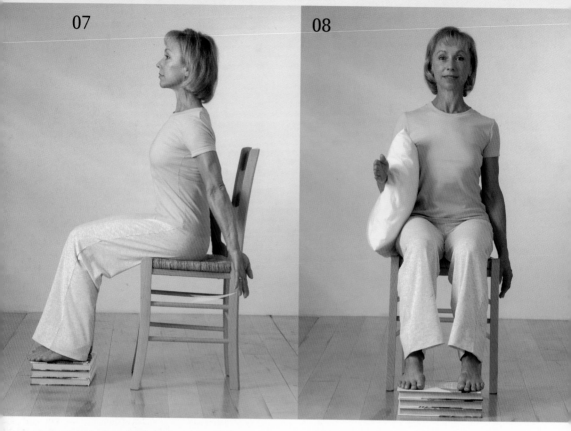

07

08

ESTIRAMIENTO DE DORSALES (07-08)
Para fortalecer los músculos que se hallan bajo de los omóplatos y estabilizar la parte superior del torso.

(07) Siéntate en un silla, con los brazos relajados a ambos lados del cuerpo, el cuello estirado y los hombros flojos. Apoya los pies por completo, apuntando hacia delante, y mantén los muslos paralelos. Inspira; al espirar, estira suavemente las manos hacia abajo, rota los brazos hacia adentro y estíralos hacia atrás, manteniendo el torso en la misma posición. Repite diez veces.

APRETAR EL COJÍN (08)
Fortalece la espalda desde el centro hacia arriba y facilita las tareas que suponen un estiramiento.

(08) Coloca un cojín bajo tu brazo derecho. Inspira, y apriétalo durante la espiración. Cambia de lado y repite diez veces con cada brazo.

ESTIRAMIENTO LATERAL MIENTRAS ESTÁS SENTADA (09-10)

Para conseguir flexibilidad y buen estado físico general.

(09) Siéntate de lado en una silla, como muestra la fotografía, sujetando el respaldo con la mano derecha. Tus muslos deberían estar paralelos al suelo. Si es necesario, apoya los pies sobre un escabel o algunos libros. Levanta el brazo izquierdo por encim a de la cabeza, hasta conseguir una suave curva. Mantén la espalda recta y contrae el estómago.

(10) Inspira. Mientras expulsas el aire, inclina el tercio superior del cuerpo hacia tu derecha, girando la cabeza en la misma dirección. Intenta no alejarte demasiado de la silla. Inspira mientras regresas a la posición inicial. Repite cuatro veces y luego cambia al otro lado.

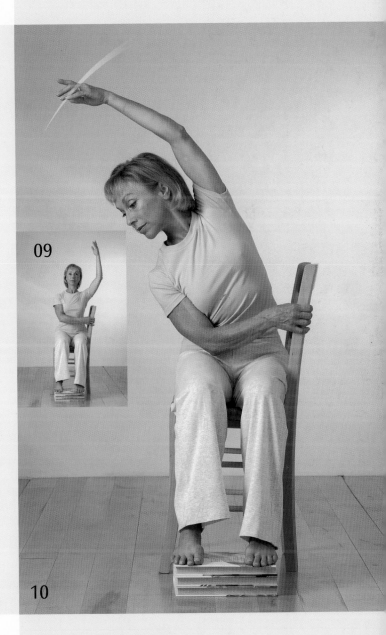

09

10

11

12

13

14

FLEXIÓN DE LOS TENDONES DEL HUESO POPLÍTEO (11-12)

Para fortalecer los músculos que se extienden desde la parte posterior de la rodilla hasta las nalgas.

(11) Túmbate boca abajo con una almohada debajo del estómago, apoyando la cabeza sobre tu mano derecha y estirando la izquierda hacia adelante.

(12) Inspira, y mientras espiras flexiona lentamente la pierna izquierda hasta formar un ángulo de 90°. Imagina que alguien «tira» de tu talón en dirección a tu mano izquierda. Inspira mientras bajas el pie. Repite diez veces con la pierna izquierda, y luego cambia a la otra.

LA COBRA (13-14)

Para fortalecer los músculos del tercio inferior de la espalda. (No los estires excesivamente.)

(13) Túmbate boca abajo, sin el cojín. Flexiona los brazos, con la palmas hacia abajo. Contrae suavemente las nalgas.

(14) Inspira, y mientras expulsas el aire despega del suelo la parte superior del cuerpo; hazlo lentamente, manteniendo la columna estirada y los brazos en la misma posición. Inspira y regresa a la posición inicial. Repite diez veces.

CARA INTERNA DE LOS MUSLOS

(15) Túmbate sobre tu lado izquierdo, alineando la cadera y los hombros. Coloca un cojín debajo de la rodilla derecha y otro entre tu cabeza y tu brazo izquierdo. Apoya la cintura sobre una toalla enrollada. Estira la pierna izquierda lo máximo que puedas.

(16) Inspira, y mientras espiras contrae los abdominales. Extiende y levanta la pierna izquierda, con la rodilla apuntando hacia delante. Inspira y bájala de nuevo, intentando que todo el movimiento sea suave. Hazlo diez veces y repite hacia el otro lado.

CARA EXTERNA DE LOS MUSLOS

(17) Flexiona la pierna izquierda y coloca un cojín grande debajo de tu pie derecho, flexionado. Apoya la mano derecha sobre la cadera.

(18) Inspira, y mientras espiras mantén los abdominales contraídos. Procurando que la pierna derecha se mantenga paralela, levántala lo máximo que puedas, sin mover la cadera. Espira mientras la bajas nuevamente. Repite diez veces de cada lado.

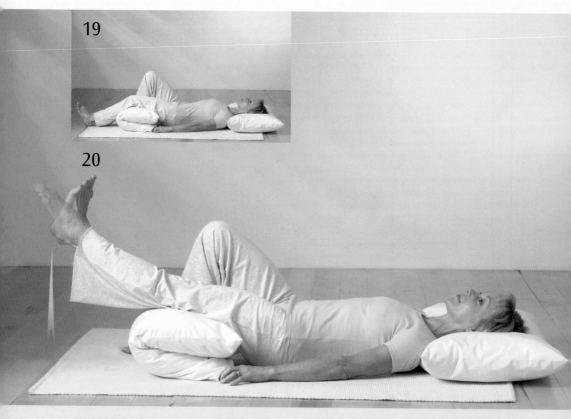

FORTALECIMIENTO DE LA CARA FRONTAL DE LA PIERNA (CUÁDRICEPS) (19-20)
Para trabajar también los músculos de las pantorrillas y ayudar a fortalecer y movilizar las articulaciones de los tobillos.

(19) Tumbada boca arriba, con la cabeza y los hombros apoyados en una almohada grande, dobla la pierna izquierda sobre otra almohada, con el pie flexionado. Flexiona la rodilla derecha y suavemente presiona contra el suelo el pie de ese mismo lado. Esto ayuda a estabilizar la pelvis durante el ejercicio.

(20) Lentamente eleva el pie flexionado hasta que la pierna quede recta. Estira los dedos hacia delante sin doblar la rodilla y mantén la posición durante unos segundos. Flexiona de nuevo el pie y bájalo hasta la posición inicial. Repite diez veces con cada pierna.

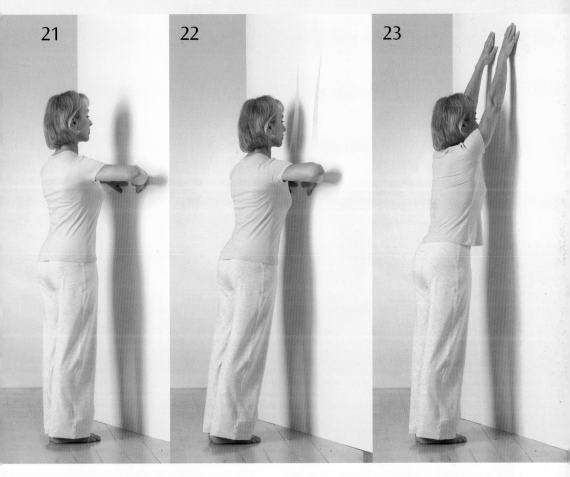

FORTALECIMIENTO DE LA ESPALDA

(21) Ponte de pie mirando a una pared, con la espalda recta. Apoya las palmas planas sobre la pared (apuntando hacia el centro) a la altura de los hombros. Las puntas de los dedos deben tocarse y los codos apuntar hacia fuera. Dependiendo del largo de la parte superior de tus brazos, posiblemente necesites separar las puntas de los dedos.

(22) Inspira e inclínate hacia la pared. Espira y regresa a la posición inicial.

(23) Inspira mientras desplazas hacia arriba los dedos de las manos hasta lograr que los brazos queden completamente estirados. No levantes los hombros. Espira y regresa a la posición inicial. Repite diez veces.

24

25

ESTIRAMIENTO DE BRAZOS *(24-32)*

Si tus músculos no están tonificados ni se encuentran en buenas condiciones físicas, el hecho de ejercer demasiada presión sobre una articulación, como por ejemplo cuando levantas algún mueble pesado, puede causarte problemas de ligamentos o de articulaciones.

PECTORALES *(24-25)*

(24) Tumbada boca arriba, flexiona las rodillas y apoya los pies completamente sobre el suelo, siguiendo la línea de la cadera. Asegúrate de que la espalda mantenga una

posición natural, y tanto el cuello como los hombros estén relajados. Cogiendo una lata con cada mano, forma una especie de arco con cada brazo, con las manos al nivel del pecho.

(25) Inspira y contrae los músculos del estómago. Mientras espiras, abre los brazos hacia los lados, manteniéndolos curvados en todo momento. Inspira mientras regresas a la posición inicial. Repite diez veces. (Este ejercicio puede llevarse a cabo invirtiendo la respiración.)

26

27

TRÍCEPS (26-27)

Piensa en este ejercicio como una actividad «cosmética» que tonifica la parte posterior de tus brazos.

(26) Todavía tumbada boca arriba, con las rodillas elevadas y los pies apoyados en el suelo, estira el brazo izquierdo hacia arriba, sujetando la lata, y coloca la mano derecha detrás del codo para mantenerlo estabilizado.

(27) Inspira y contrae los músculos del estómago. Lentamente baja la mano izquierda hacia el hombro del mismo lado. Mientras espiras, levántalo despacio hasta que alcance la posición inicial. Repite con el otro brazo, cogiendo la lata con la mano derecha y sujetando el codo de ese lado con la mano izquierda. Repite la secuencia diez veces.

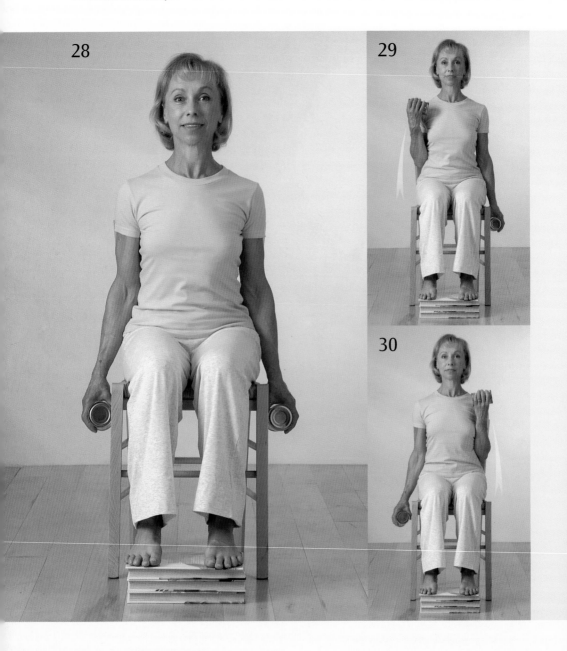

BÍCEPS (28-30)

(28) Siéntate en una silla o un taburete, cogiendo una lata en cada mano. Apoya completamente los pies.

(29) Inspira, y mientras expulsas el aire gira poco a poco la mano derecha y flexiona con suavidad el brazo derecho, a la altura del codo, para elevar la lata hacia el hombro. Inspira y regresa a la posición inicial. Cambia de brazo y repite diez veces de cada lado.

(30) Cuando te sientas más segura, levanta y baja los brazos alternativamente.

DELTOIDES (31-32)

(31) Todavía sentada, y cogiendo una lata con cada mano, deja caer los brazos a cada lado del cuerpo, con las palmas hacia adentro.

(32) Mientras inspiras, levanta ambas extremidades hacia los costados, lo más alto que puedas, sin que los hombros se muevan. Inspira y bájalos hasta la posición inicial. Repite diez veces.

Para que este ejercicio resulte un poco más difícil, sitúa las manos ligeramente más adelante o más atrás de la línea vertical.

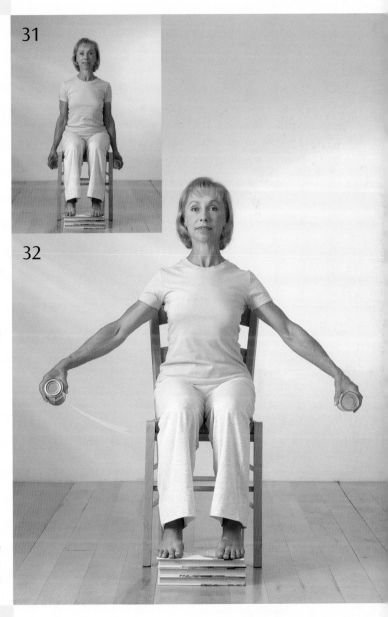

31

32

En la oficina

Cuando trabajas en una oficina existen varios factores que debes tener en consideración si pretendes mantenerte sana y en buen estado físico: 1) verifica que tu silla se encuentre a la altura adecuada para ti; 2) asegúrate de que tu equipamiento, en particular tu ordenador y sus accesorios, estén dispuestos de tal manera que no te provoquen un esfuerzo innecesario, y 3) tómate muchos descansos breves para levantarte y caminar, y también para realizar algunos ejercicios Pilates rápidos.

POSTURA ANTE EL ORDENADOR

Coloca la pantalla recta frente a ti, con el fin de que no te veas obligada a girar la cabeza o la parte superior del cuerpo para mirarla. Recuerda que su centro ha de hallarse al nivel de tus ojos. El teclado también debe estar situado frente a ti, y tendrías que contar con un espacio adecuado para colocar el ratón a un lado. Lo ideal sería que dispusieras de suficiente holgura para manipular el ratón sin problemas y pudieras apoyar el antebrazo entre un movimiento y otro. No cometas el error de pasar mucho tiempo mirando la pantalla sin hacer pausas. Lo más conveniente es que hagas descansar los ojos posando la vista fuera del monitor y cambies tu postura para estirarte. No permanezcas sentada en la misma posición durante más de diez minutos. Existen una gran variedad de sillas en el mercado, pero las diseñadas para oficina representan la mejor alternativa. En los momentos libres aprovecha la oportunidad para realizar algunos ejercicios para el suelo pélvico (véase página 129), asegurándote de mantener la columna completamente extendida. Imagina que un hilo une la parte superior de tu cabeza con los músculos del suelo pélvico. Inspira, y mientras espiras imagina que ese cordel impulsa dicha musculatura hacia arriba. Afloja y repite.

PARA HABLAR POR TELÉFONO
(01) No sujetes el aparato curvando el cuello. A largo plazo, esta costumbre puede causarte un gran perjuicio e incluso derivar en una lesión incapacitante por esfuerzo repetitivo.

(02) Coge el microteléfono con delicadeza y mantén los hombros relajados y a la misma altura. La espalda debe permanecer recta y la muñeca floja.

01

02

POSTURA PARA SENTARTE

(01) No caigas en la tentación de cruzar las piernas o de «enrollar» una sobre la otra. Esta postura provocará que te sientes encorvada hacia delante.

(02) Siéntate con los dos pies apoyados completamente en el suelo, o usa un escabel si fuera necesario. Tus muslos deberían formar ángulos rectos y contar con un buen apoyo. Lo ideal sería que pudieras inclinarte hacia delante desde la cadera con la espalda recta, permitiendo que los brazos trabajaran sin tensión.

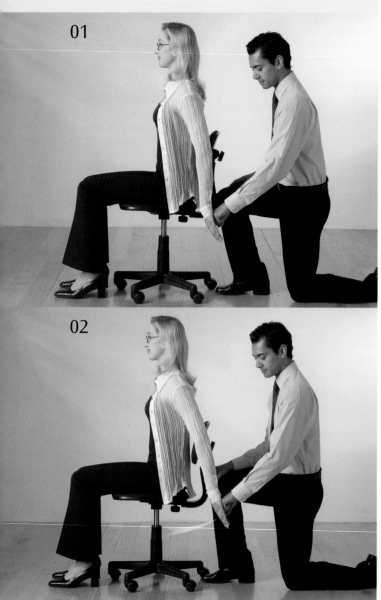

01

02

RUTINA PILATES PARA LA OFICINA (01-26)

Pide a un colega que actúe como compañero de ejercicios en esta rutina, y luego cambiad de «puesto», de tal forma que ambos ejercitéis vuestro cuerpo.

«PULLS» DORSALES INDIVIDUALES (01-02)

Para fortalecer los músculos que ayudan a mantener los hombros y la parte superior de la espalda en la situación postural correcta.

(01) Siéntate correctamente en tu silla de oficina (véase página 103), con los brazos flojos a ambos lados de tu cuerpo. Pide a tu compañero que cierre los puños, para que tú puedas presionar tus manos contra ellos.

(02) Inspira, y mientras expulsas el aire ejerce presión con tus manos sobre los puños de tu compañero lo más fuerte que puedas. Al mismo tiempo, siéntate recta y elonga la columna. Inspira y regresa a la posición inicial. Repite diez veces.

CONTRACCIÓN DE HOMBROS ASISTIDA (03-04)

Para ayudar a aflojar la tensión de los hombros y el cuello.

(03) Siéntate, y pide a tu compañero que te sujete los hombros. Inspira mientras los elevas lo máximo posible.

(04) A continuación, espira, al tiempo que tu compañero empuja los hombros suavemente hacia abajo una vez más. Repite varias veces antes de rotar los hombros hacia atrás y luego hacia delante.

APERTURA DE BRAZOS (05-06)

Para aliviar esa sensación de estar encorvada; también para abrir los hombros y el pecho.

(05) Siéntate con los pies completamente apoyados en el suelo. Relaja el cuello y los hombros. Mantén la parte superior de los brazos pegada al tronco, formando un ángulo de 90° con las palmas hacia dentro.

(06) Inspira, y mientras espiras realiza un semicírculo con las manos, manteniendo en todo momento la parte superior de los brazos junto al tronco. Inspira, y regresa a la posición inicial. Repite diez veces.

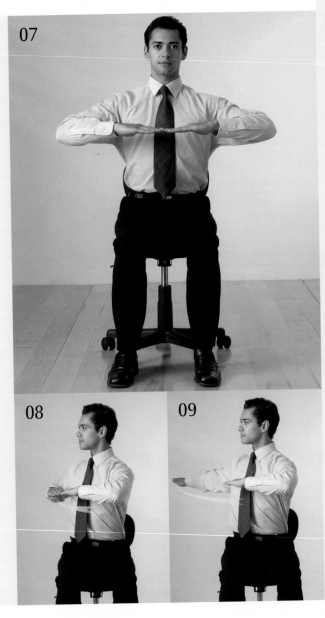

EL COSACO
CON UN BRAZO (07-09)
Para ayudar a movilizar la parte central de la espalda/ espina torácica.

(07) Siéntate con los dedos de las manos en contacto, a la altura del pecho.

(08) Inspira, y mientras espiras rota el tercio superior del cuerpo hacia la derecha. Haz una pausa.

(09) Inspira, y durante la espiración estira un brazo e impúlsalo hacia atrás todo lo que puedas, mientras rotas el cuerpo todavía más. Inspira y dobla el brazo derecho, y luego regresa a la posición inicial. Haz lo mismo con el brazo izquierdo para ejercitar el lado izquierdo del cuerpo. Repite la secuencia diez veces.

APERTURA DE HOMBROS

(10) Deja caer la cabeza suavemente hacia delante y cruza los brazos sobre tu regazo.

(11) Inspira. Mientras elevas los brazos cruzados hasta llevarlos más arriba de la cabeza, imagina que te estás quitando una camiseta. Arquea la espalda, mirando hacia el techo.

(12) Estira los brazos y los dedos hasta formar una «V». Espira mientras formas círculos con los brazos y los haces descender hasta la posición inicial. Siente que los omóplatos empujan hacia abajo.

ABDOMINALES ESTÁTICOS EN POSICIÓN DE SENTADA

(no ilustrado)
Para fortalecer los abdominales transversales.

Coloca las manos sobre la mesa de trabajo y los pies firmemente apoyados sobre el suelo. Inspira. Mientras expulsas el aire, empuja los dorsales hacia abajo, presionando las manos con firmeza sobre la mesa y dirigiendo la pared abdominal hacia la silla. Para trabajar los músculos aún más, incorpora ejercicios para el suelo pélvico (véase página 129). Repite diez veces.

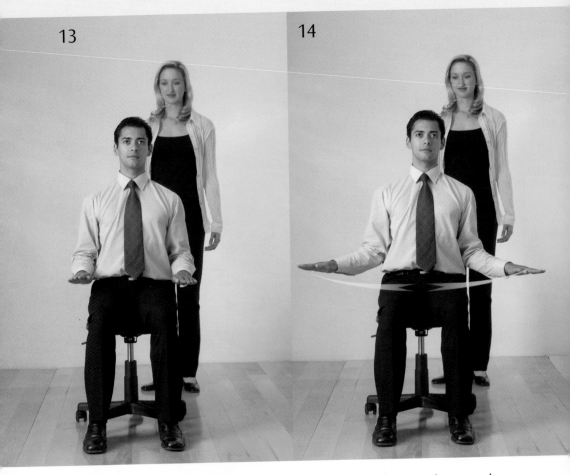

13

14

APERTURA DE BRAZOS ELEVADA *(13-16)*
Para abrir los hombros.

(13) Siéntate frente a tu mesa, con las manos flojas y las palmas hacia abajo.

(14) Inspira, y mientras espiras mueve los brazos hacia ambos lados, como si estuvieras abriendo una puerta. Inspira y hazlos volver a la posición inicial. Repite la secuencia diez veces.

15

16

(15) Inspira, y durante la exhalación separa los brazos, con las palmas hacia abajo. Para la siguiente etapa, en lugar de hacer volver los brazos a la posición inicial, inspira y levanta los codos hasta que la parte inferior de las extremidades queden paralelas al suelo y los dedos en línea con el esternón.

(16) Inspira y mueve los brazos hacia atrás. Tu compañero te sujeta las muñecas y suavemente impulsa tus brazos hacia atrás. Inspira mientras regresas a la posición inicial; véase el paso 13, en la página 108.

ESTIRAMIENTO LATERAL DE LA ESPINA TORÁCICA *(17-18)*

Para estirar la parte superior del torso y abrir la espina torácica, que se tensa cuando estás trabajando en un ordenador.

(17) Presiona con la mano el lado izquierdo de las costillas, cerca de la axila, para estabilizarte. Estira el brazo derecho hacia arriba.

(18) Inspira, y mientras espiras estírate hacia la izquierda, curvando el brazo ligeramente y girando la cabeza en la misma dirección. Inspira y regresa a la posición inicial. Repite con el otro lado y haz la secuencia diez veces.

FLEXIÓN DE RODILLA CON ELEVACIÓN
(19-21)
Para trabajar las piernas y estirar las pantorrillas.

(19) Quítate los zapatos y ponte de pie detrás de tu silla, cogiendo el respaldo con ambas manos. Inspira, y mientras espiras contrae los músculos de las nalgas, «mete» el estómago y relájate.

(20) Inspira y flexiona las rodillas.

(21) Espira y estira las piernas, elevándote sobre los talones. Inspira y regresa a la posición inicial.

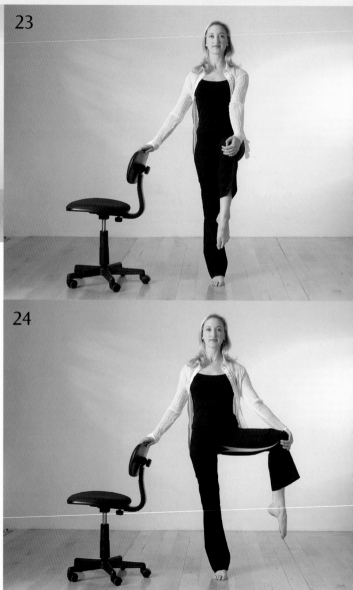

22

23

24

ELEVACIÓN DE NALGAS *(22-24)*
Para tensar y elevar las nalgas.

(22) Cógete a tu silla con una mano, de pie y en posición recta.

(23) Inspira y levanta la pierna izquierda. Sujétala con la mano de ese mismo lado.

(24) Desplaza la rodilla hacia la izquierda. Estira los dedos de los pies hacia abajo. Durante la espiración realiza pequeñas elevaciones con la rodilla. Inspira de nuevo y regresa a la posición inicial. Repite la secuencia con la pierna derecha. Haz cuatro repeticiones de cada lado.

25

26

ZANCADA («LUNGE»)
(25-26)

Para tonificar y condicionar los tríceps y los bíceps. Mantén el estómago contraído durante todo el ejercicio y asegúrate de no elevar el hombro mientras desplazas el brazo hacia atrás. Para trabajar con más peso, utiliza una botella con agua.

(25) De pie detrás de tu silla, apoya la mano derecha sobre el respaldo. Adelanta la pierna de ese mismo lado hasta que quede enfrentada a la izquierda, y flexiona la primera para realizar una zancada (lunge).

(26) Inspira, y mientras espiras contrae los músculos del estómago. Tensa los dorsales y flexiona el codo para levantar la botella, manteniéndolo próximo a la cintura. Devuelve el brazo a su posición inicial y repite diez veces de cada lado.

CAPÍTULO CINCO

Relajación
con Pilates

Para sacar el mayor provecho posible de todos los aspectos

de tu agitada vida y ser capaz de sobrevivir y mantenerte

en buen estado de salud, necesitas aprender a aprovechar

también tu tiempo libre. Cuanto más partido le saques a tus

momentos de descanso, más y mejor podrás dedicarte

a tus actividades laborales, ya sean físicas, mentales o una

combinación de ambas.

Mantener en equilibrio todos los aspectos de la vida resulta sumamente importante. Por eso, cuando regreses a casa después del trabajo, o si trabajas en tu domicilio, toma la decisión consciente de pasar al «modo descanso»: recuerda que relajarte y olvidarte de tu jornada laboral es fundamental. Si, además, tu día ha sido estresante o desagradable, más importante todavía es que te relajes. Así serás capaz de recuperar tu fuerza y energía, y de aprovechar al máximo la tarde o la noche.

Es vital que consigas disfrutar del tiempo que pasas en casa cuando sales del trabajo, antes de regresar a la oficina al día siguiente; pero también es verdad que muchas veces te resulta más tentador servirte una copa y desplomarte frente al televisor. Sin embargo, esta opción puede acabar por provocarte irritación y nervios cuando llega la hora de irte a la cama. Si haces un esfuerzo consciente por relajarte de forma centrada y creativa, descubrirás que puedes disfrutar más de la tarde y la noche, y que te sientes más enérgica y positiva cuando te levantas a la mañana siguiente.

En este capítulo comenzamos con una rutina Pilates para la relajación que puedes hacer rápidamente, en cuanto llegas a casa después del trabajo o, si trabajas desde tu hogar, cuando pasas el «modo noche». Más adelante, puedes intentar realizar algunos relajantes y sensuales masajes y ejercicios Pilates con tu pareja antes de prepararte para dormir bien por la noche.

Será muy conveniente que te prepares para relajarte. Si lo deseas, quema relajantes aceites de aromaterapia e inciensos para crear una atmósfera tranquila, pon alguna música que te resulte especial y relajante, y tómate el tiempo que necesites para ajustar la iluminación de tu habitación con el fin de crear una atmósfera relajante. La luz de las velas es perfecta para este fin.

Alivia el estrés diario

Si has estado ocupada durante toda la jornada y no has tenido la ocasión de «recargar tus pilas», aquí te presentamos
una rápida rutina Pilates para que alcances un estado mental relajado antes de comenzar tus actividades vespertinas.

CONSEJOS GENERALES
- Quítate la ropa con la que has ido a trabajar.
- Quema tu incienso favorito o un relajante aceite de aroma-
  terapia, como la lavanda.
- Enciende algunas velas para crear una atmósfera relajante.
- Pon música tranquila y alegre.

RUTINA PILATES PARA LA RELAJACIÓN (01-18)

RODILLAS AL PECHO
(01-02)
*Para hacer desaparecer
la tensión localizada
en la espalda y el cuello.*

*(01) Tumbada boca arriba,
procura que toda la columna
entre en contacto con el
suelo. Flexiona las rodillas,
manteniéndolas ligeramente
separadas y en línea con la
cadera. Contrae los músculos
del estómago y permanece
así durante todo el ejercicio.
Apoya las manos en la zona
inmediatamente inferior a
las rodillas.*

*(02) Inspira, y mientras
espiras lleva ambas rodillas
hacia el pecho. Mantén la
columna sobre el suelo y el
cuello estirado. Siente que la
espalda y el pecho se abren.*

01

02

EL CUADRANTE DEL RELOJ
(03-06)
Este ejercicio activa toda la región lumbar. La palabra «reloj» hace referencia al círculo del área lumbar, no al que realizan las rodillas. Imagina que estás tumbada sobre el cuadrante de un reloj y que trazas un círculo en torno a los números.

(03) Tumbada boca arriba, con toda la columna estirada y en contacto con el suelo, coloca un libro debajo de tu cabeza y cógete las rodillas, presionándolas suavemente una contra la otra.

(04-06) Inspira, y mientras expulsas el aire contrae los músculos del estómago y mantenlos así durante todo el ejercicio. Usando las manos para guiar el movimiento de las rodillas, «dibuja» un pequeño círculo con ellas, pero piensa en el círculo de mayor tamaño que tu espalda está trazando sobre el suelo. No permitas que tu cadera se ladee, y procura que los movimientos sean pequeños y sutiles. Haz diez círculos, primero en el sentido de las agujas del reloj, después en sentido contrario, y así sucesivamente.

03

04

05

06

07

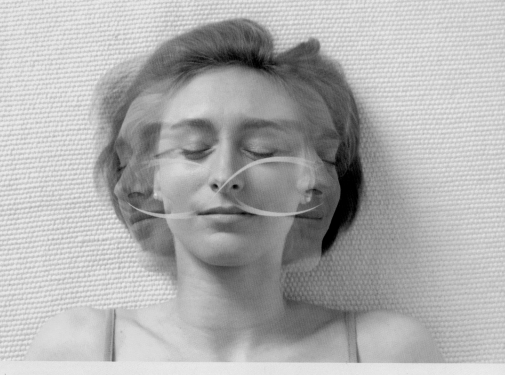

«EL OCHO» CON LA NARIZ

Éste es un movimiento muy sutil que exige concentración (cerrar los ojos te ayudará bastante). Mientras piensas en controlar dicha acción, relaja la parte posterior del cuello. Túmbate boca arriba con la columna estirada sobre el suelo, con los brazos a ambos lados del cuerpo y las rodillas flexionadas. Contrae los músculos del estómago y mantén esta posición durante todo el ejercicio.

(07) Centra toda tu atención en la punta de tu nariz y, con ella, dibuja un número «ocho» en el aire. Procura que el movimiento sea casi imperceptible. Realiza diez figuras.

SEMICÍRCULOS DEL COSACO (08-11)

Para abrir la parte superior de la espalda y los hombros. No te preocupes si al principio no consigues realizar un círculo completo. Con la práctica mejorarás la amplitud de tus movimientos.

(08) Tumbada boca arriba, flexiona las rodillas y cógete los brazos frente al torso, en la posición del cosaco. Contrae los músculos del estómago durante todo el ejercicio.

(09) Inspira y lleva los brazos unidos hacia la izquierda.

(10) Espira mientras realizas un círculo con los brazos unidos, pasando por encima de tu cabeza hasta llegar al lado derecho, y luego regresa a la posición inicial.

(11) Inspira y lleva los brazos hacia el lado derecho. Espira y realiza un círculo hacia la izquierda. Vuelve a la posición inicial una vez más. Repite el ciclo diez veces.

12

13

14

RELAJACIÓN DEL TERCIO INFERIOR DE LA ESPALDA
(12-14)
Éste es un excelente ejercicio si tienes la parte inferior de la espalda tensa y cansada.

(12) Túmbate boca arriba con los pies y las rodillas juntos. Estira los brazos sobre el suelo hacia atrás, con las manos superpuestas.

(13-14) Inspira, y mientras expulsas el aire gira las rodillas de un lado al otro todas las veces que puedas durante la espiración. Estira los brazos y repite la secuencia ocho veces. Resulta muy beneficioso finalizar el ejercicio elevando las rodillas hacia el pecho (véase página 116, paso 02).

CURVAR LOS PIES *(15-16)*
Este ejercicio «despierta» los pies.

(15) Siéntate en una silla, con las rodillas en ángulo recto y los pies completamente apoyados en el suelo.

(16) Lleva los dedos hacia atrás de tal forma que el empeine se eleve mientras el talón permanece en contacto con el suelo. Intenta que los dedos no se curven hacia dentro. Mantén la posición durante unos segundos antes de estirar los dedos y regresar a la posición inicial. Repite diez veces con cada pie.

MASAJE DE PIES
(17) Ahora date un masaje podálico, que resulta excelente si tienes tendencia a sufrir calambres. Masajéate todo el pie con suavidad. Luego aplica una presión más intensa sobre la parte superior de cada dedo, estirándolo delicadamente hasta «alejarlo» de su base.

RELAJACIÓN
(18) Túmbate boca arriba y apoya las piernas contra una pared, asegurándote de que los pies queden más elevados que el corazón. Cierra los ojos y respira tranquilamente. Si es posible, relájate durante cinco minutos.

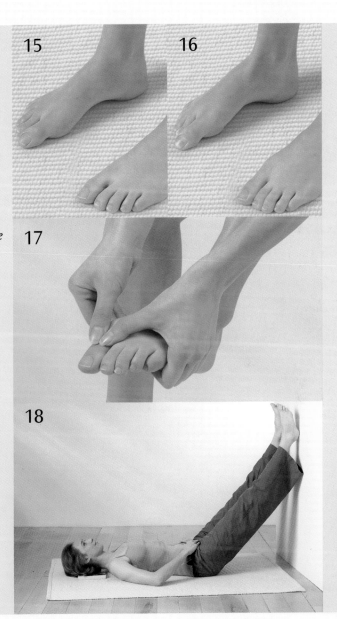

Trabajo en pareja

Para completar la rutina de relajación, realiza algunos suaves ejercicios Pilates en compañía de tu pareja. Se trata de una forma tranquila y armoniosa de finalizar el día, y resulta particularmente importante para la zona que rodea la cabeza y los hombros, donde la tensión acumulada de toda la jornada tiende a quedar almacenada y atrapada. No tienes que ser una experta en masaje para ayudar a tu pareja a relajarse: simplemente debes poner en práctica tus aptitudes sanadoras naturales. Cambiad de roles, para que los dos podáis beneficiaros de los ejercicios.

PILATES PARA REALIZAR CON TU PAREJA (01-10)

ESTIRAMIENTO DE HOMBROS
(01) Coge los codos de tu pareja mientras él une las manos detrás de su nuca. Ofrece resistencia con tus manos mientras él intenta unir los codos.

(02) En el momento en que tu pareja espire, usa tus antebrazos para levantar sus brazos y abrirlos, estirando su cuerpo hacia atrás. Espera un segundo o dos antes de regresar a la posición inicial. Repite cuatro veces.

01

02

MASAJE DE HOMBROS

(03) Ponte de pie detrás de tu compañero, que está sentado, y coloca las manos sobre sus hombros (los pulgares hacia atrás y el resto de los dedos hacia el frente). Rota suavemente los pulgares, primero en una dirección y luego en la otra. Gradualmente aléjate del centro. Tu pareja debería mantener la cabeza elevada y respirar de forma tranquila y natural.

ESTIRAMIENTO DE CUELLO

(04) Con la mano izquierda sobre el hombro de tu pareja (para incrementar la estabilidad) y la derecha a un lado de su cabeza, «estira» esta última suavemente hacia un costado. Repite en la dirección contraria.

(05) Gira la cabeza de tu compañero. Mantén tu mano izquierda sobre su hombro y coloca la derecha sobre la parte superior de su cráneo. Empuja suavemente hacia abajo. La respiración debería ser tranquila y natural en todo momento. Repite de dos a tres veces de cada lado.

03

04

05

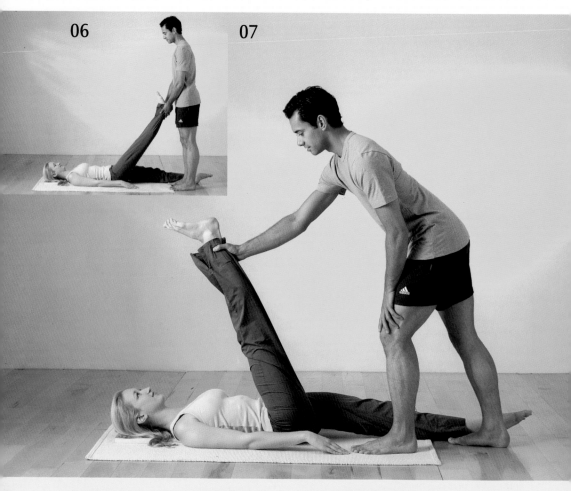

ESTIRAMIENTO DE LOS TENDONES DEL HUESO POPLÍTEO (06-07)

Para estirar y flexibilizar dichos tendones.

(06) Sujeta la pierna derecha de tu pareja por el tobillo (con las dos manos). Mientras inspira, presiona su talón contra tu mano.

(07) Durante la espiración, coge su pierna con tu mano izquierda y suavemente empújala hacia su pecho, desplazando el peso de tu cuerpo a la pierna que tienes adelantada y que has flexionado. Realiza el estiramiento con cuidado, concentrándote en la reacción de tu pareja. No estires en exceso. Repite cuatro veces con cada pierna.

08

ESTIRAMIENTO DE ESPALDA *(08-10)*

Para estirar dicha zona del cuerpo.

(08) Túmbate en el suelo boca abajo.

(09) Inspira, y mientras espiras adopta la posición de la cobra. Inspira y regresa a la posición inicial. Repite cuatro veces.

(10) En la cuarta ocasión, levanta el cuerpo y deslízate hacia atrás sobre tus manos y rodillas hasta alcanzar la posición de descanso (véase también página 41). Tu pareja estira suavemente tu espalda colocando una mano entre tus omóplatos y la otra sobre la base de tu columna vertebral. Mantén la posición durante unos segundos. Repite cuatro veces.

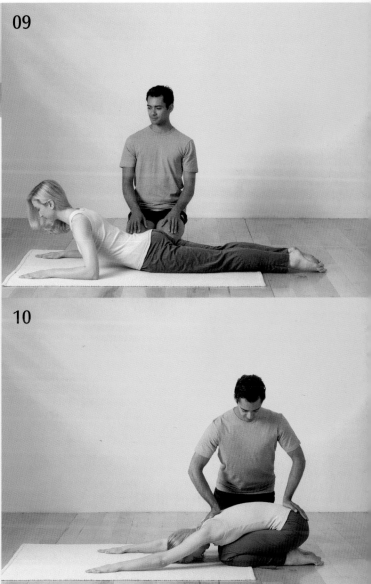

09

10

CAPÍTULO SEIS

Pilates para el embarazo

Independientemente de que estés embarazada en este momento, ya hayas tenido a tu bebé o planifiques ser madre pronto, Pilates apoya y fortalece tu cuerpo durante toda la gestación y te ayuda a mantenerte sana. Evidentemente, existen ejercicios que puedes llevar a cabo al comienzo del embarazo y otros que tienes que evitar a partir del momento en que tu bebé ha alcanzado un tamaño considerable dentro de tu vientre. Respeta estas indicaciones.

El método Pilates representa una excelente forma de hacer ejercicio cuando estás embarazada, ya que se trata de una actividad física de bajo impacto que fortalece tu espalda, tu estómago y los músculos del suelo pélvico. Mantener esta musculatura tonificada no sólo evitará los dolores de espalda, frecuentemente asociados a las últimas etapas del embarazo, sino que también contribuirá a que tu cuerpo se recupere con mayor rapidez después del parto. Tu estómago no tardará en recuperar su forma natural; además, el modo en que controlas la respiración cuando practicas Pilates también te ayudará a respirar correctamente durante el trabajo del parto y el alumbramiento.

Si en términos generales llevas una vida sedentaria y no haces ejercicio más de dos veces a la semana, consulta a tu médico antes de practicar las actividades que presentamos en este capítulo. Al comienzo, cumple con la rutina física sólo dos o tres veces a la semana, en sesiones de quince o veinte minutos; más adelante, y de forma gradual, puedes aumentar el tiempo y la cantidad de ejercicios. Evita acalorarte demasiado o realizar las actividades cuando las temperaturas sean muy elevadas, y siempre procura beber abundante agua para no deshidratarte. Recuerda también que, cuando haces ejercicios durante el embarazo, tu cuerpo necesita aún más calorías, así que no olvides tener a mano un tentempié adecuado.

En general, tómate todo con mucha más calma que en cualquier otro momento de tu vida, y evita cualquier movimiento espasmódico o que suponga saltar. Por ejemplo, no deberías realizar ejercicios de contacto después de las primeras dieciséis semanas de embarazo; asimismo, evita flexionar completamente o hipertensar tus articulaciones. Lo más importante es escuchar las necesidades de tu organismo: si te cansas mientras haces ejercicio, considéralo una clara señal de que debes detenerte. No intentes sobrepasar tus propios límites.

Pilates para la vida

Puedes practicar Pilates desde antes de la concepción hasta el momento mismo en que el bebé nace. Ten en cuenta que no debes tumbarte boca abajo después del segundo mes de embarazo, cuando el bebé ya «se ve» desde fuera. Después de la trigésima semana de gestación no deberías tampoco tumbarte completamente plana boca arriba, debido a la molesta presión que ejercerá el feto sobre tus órganos internos. En lo que a los ejercicios del suelo pélvico se refiere, deberías practicarlos desde antes de quedar embarazada, durante todas las etapas de la gestación e incluso después del parto. De hecho, lo ideal es que continuaras practicándolos de por vida, ya que con el paso de los años te resultarán de gran ayuda, cuando los músculos del suelo pélvico comiencen a perder fuerzas.

NO REALICES LOS EJERCICIOS SI PRESENTAS ALGUNAS DE LAS SIGUIENTES CONDICIONES MÉDICA

- *Diabetes o enfermedades de tiroides, cardiovasculares, respiratorias o renales.*
- *Antecedentes de aborto, parto prematuro o incompetencia cervical.*
- *Sangrado vaginal o pérdida de fluid*
- *Embarazos múltiples.*
- *Placenta en posición anormal.*
- *Dolor/menor movimiento fetal/feto en posición de nalgas.*
- *Anemia, alteraciones en la sangre o hipertensión.*

01

EJERCICIOS PARA EL SUELO PÉLVICO

Para tonificar los músculos del suelo pélvico. Hasta la trigésima semana de embarazo practícalos tumbada, pero luego hazlos sentada.

(01) (página anterior)
Túmbate en el suelo con las rodillas elevadas y los brazos a ambos lados del cuerpo. Apoya la cabeza y los hombros sobre almohadas blandas. Imagina que un hilo conecta los músculos de tu suelo pélvico con tu esternón. Inspira. Mientras expulsas el aire, imagina que ese hilo tira de los músculos hacia arriba. Mantén la posición. Inspira. Relájate. Repite diez veces.

POSICIÓN DE SENTADA *(02-03)*
Apoya los pies completamente sobre el suelo o bien sobre algunos libros.

(02) Postura incorrecta.

(03) Tu espalda debería estar elongada y bien apoyada. Relaja los brazos mientras apoyas las palmas sobre tu regazo. Inspira, y mientras espiras presiona con las manos hacia abajo, elevando el suelo pélvico. Elonga la columna y mantén la postura. Repite diez veces.

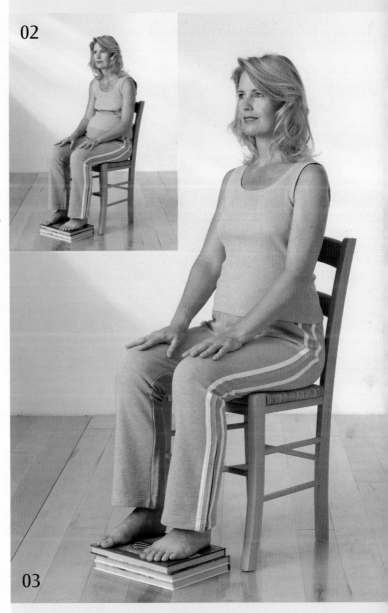

02

03

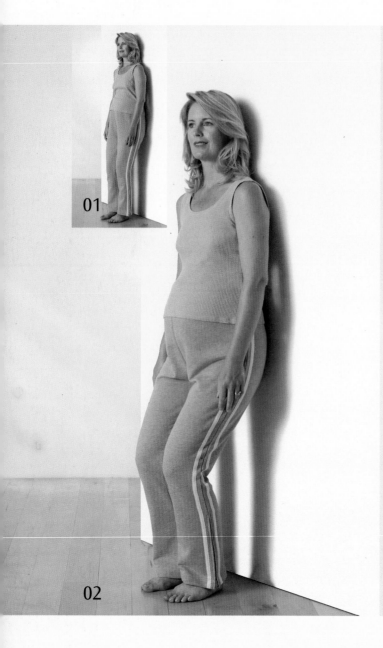

01

02

RUTINA PILATES PARA EL EMBARAZO *(01-17)*

INCLINACIONES PÉLVICAS *(01-02)*
Para estirar la espalda y trabajar los abdominales inferiores.

(01) Apóyate contra una pared, con la espalda completamente recta y las rodillas flojas. Las piernas deben estar un poco separadas. Elonga la columna.

(02) Inspira, y mientras espiras curva la cadera para alejarla de la pared. Inspira y relaja la pelvis nuevamente contra el tabique. Repite diez veces.

«PLIÉS» *(02-04)*
Para fortalecer las piernas.

(02) Apoyada contra la pared, elonga la columna y, mientras espiras, flexiona las rodillas y deslízate por el muro hacia abajo. Al espirar sube de nuevo, hasta que las rodillas queden nuevamente rectas pero no trabadas. Repite diez veces.

(03-04) Esta vez separa un poco más las piernas y rótalas ligeramente. No hagas este ejercicio si sientes algún dolor en la pelvis.

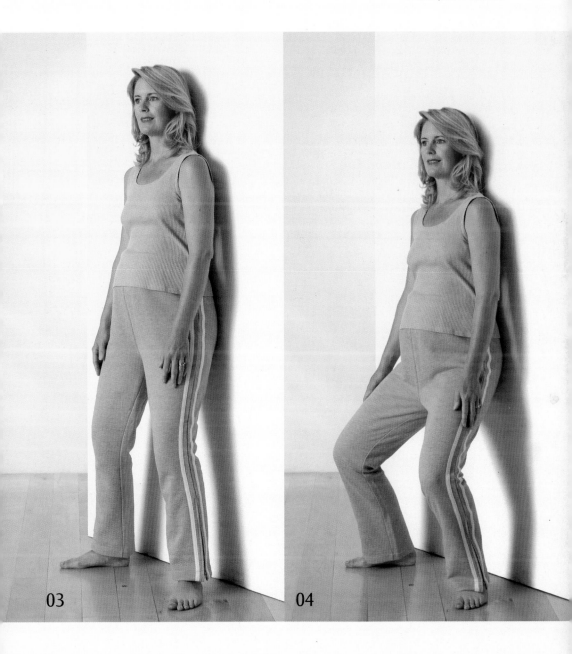

03

04

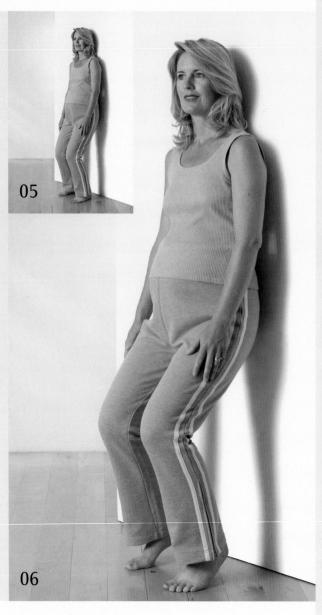

05

06

ELEVACIÓN DE TALONES

(05) Ponte de pie, con la espalda recta contra la pared, las rodillas flexionadas y el peso de tu cuerpo sobre el centro de los pies.

(06) Inspira y eleva los talones del suelo. Espira y baja de nuevo. Repite diez veces.

ABDOMINALES

(07) Túmbate de lado con una almohada entre tu cabeza y tu brazo, y otra entre las rodillas. Relaja los músculos del estómago. Inspira, y mientras espiras eleva dichos músculos para alejarlos del suelo, en dirección a la columna. Repite diez veces y cambia de lado.

OBLICUOS

(08) Coloca una almohada entre tus rodillas y apoya la cabeza sobre tu brazo.

(09) Inspira, y mientras espiras desliza el brazo derecho por el suelo, levantando el tercio superior del cuerpo, que sostendrás con las manos. Inspira y deslízate de nuevo hacia abajo. Hazlo cinco veces y luego repite del otro lado.

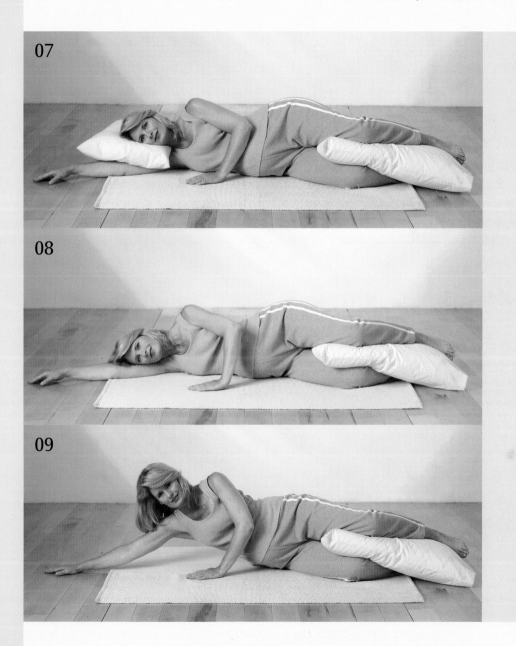

07

08

09

10

11

***RELAJACIÓN DEL TERCIO
SUPERIOR DEL CUERPO** (10-11)
Para abrir el pecho y fortalecer
la parte superior del torso.*

*(10) Con la mitad superior de
los brazos pegados al cuerpo,
flexiona los codos 90º.*

*(11) Inspira, y mientras
expulsas el aire desplaza la
parte inferior de los brazos
hacia fuera, manteniendo la
parte superior muy próxima al
torso. Inspira para regresar a la
posición inicial. Repite diez veces.*

***EL COSACO CON UN BRAZO**
(12-13)
Al mismo tiempo practica los
ejercicios para el suelo pélvico
(página 129).*

*(12) Siéntate y une los dedos de
las manos a la altura del pecho.*

*(13) Inspira, y mientras espiras
rota el tercio superior del
cuerpo hacia la derecha. Haz
una pausa. Inspira, y al espirar
estira un brazo hacia fuera,
impulsándolo hacia atrás y
rotando el cuerpo todavía más.
Inspira, flexiona el brazo
derecho y regresa a la posición
inicial. Cambia de brazo. Repite
la secuencia diez veces.*

12

13

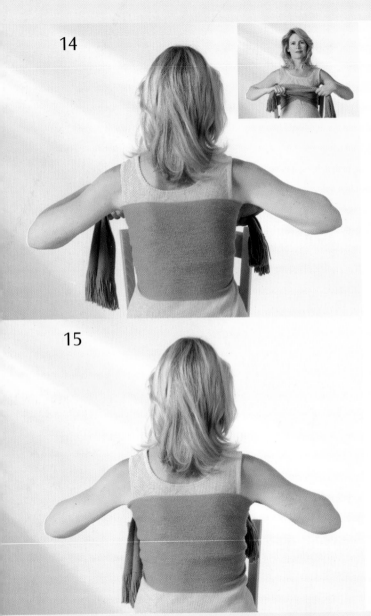

14

15

RESPIRACIÓN CON BUFANDA *(14-15)*
Para ayudarte a que te centres en tu respiración, profundizándola y mejorando tu capacidad pulmonar.

(14) Sentada, envuelve tu torso con una bufanda, de tal modo que te cubra las costillas y puedas cruzarla en el frente. Coge un extremo en cada mano y mantenla estirada. Inspira lentamente, sintiendo que los pulmones se expanden y la bufanda se estira.

(15) Mientras espiras, tensa la bufanda; sentirás que el aire sale de tus pulmones debido a la compresión. Repite diez veces.

PIES Y PIERNAS *(16-17)*
No debe realizarse después de la trigésima semana de gestación.

(16) Tumbada boca arriba, y con la cabeza, los hombros y la rodilla derecha apoyados sobre almohadas, flexiona la rodilla izquierda. Con la rodilla derecha recta, flexiona y estira el pie de forma lenta y firme, manteniendo cada posición durante algunos segundos. Repite diez veces.

(17) Estira el pie, manteniendo la rodilla recta, y rota el tobillo en ambas direcciones. Cambia de pie. Repite diez veces con cada uno.

16

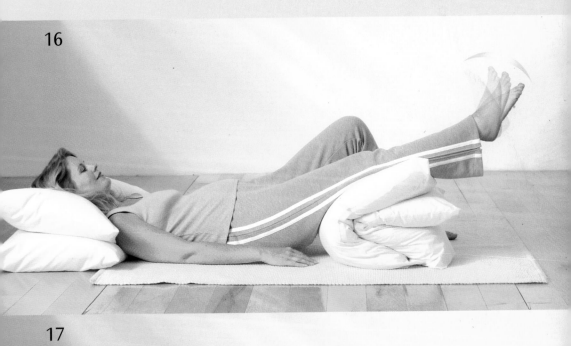

17

Bibliografía

Alexander, Jane
The Weekend Healer
Gaia Books, 2000

Alexander, Jane
Salud en 5 minutos
Gaia Ediciones, 2000, Madrid

Cohan, Robert
The Dance Workshop
Gaia Books, 1986

Gillanders, Ann
Reflexología fácil y rápida
Gaia Ediciones, 2002. Madrid

Herdman, Alan
Pilates, Creating the Body You Want
Gaia Books, 1999

Kirsta, Alix
The Book of Stress Survival
Gaia Books, 1987

Lavery, Sheila
The Healing Power of Sleep
Gaia Books, 1997

Reyneke, Dreas
Ultimate Pilates, Achieve the Perfect Body Shape
Vermilion, 2002

Stanway, Penny
Healing Foods for Common Ailments
Gaia Books, 1990

Índice de nombres

Agradecimientos

Nuestro agradecimiento a las siguientes personas por la gran ayuda que nos brindaron en la producción de este libro:

Richard Burns por el peinado, el maquillaje y el estilismo en las fotografías; Caron y Channing Bosler, Joshua Tuifua, Jane Paterson y Sarah Gilham por posar como modelos; todo el equipo de los Estudios Alan Herdman; Sara Mathews por el diseño; Susanna Abbott por el asesoramiento editorial; Diana Walles por su colaboración también en el campo editorial, y Lynn Bresler por su trabajo sobre las galeradas y el índice.